鉄道模型修理ハンドブック

伊藤 聡
Ito Satoru

幻冬舎MC

鉄道模型修理ハンドブック

もくじ

はじめに

　2022年10月14日には日本で新橋・横浜間に鉄道が開通してから150周年を迎えました。

　その間、日本の鉄道は目覚ましい発展を遂げ、ドイツ、フランス、カナダをはじめ、世界でも有数の国となっています。

　鉄道ファンは200万を超えると言われ、このごろでは若い男女をはじめ、古くから携わっていた人たちも生活が一段落してまた復帰して「模型鉄」だけでなく、「乗り鉄」をはじめいろいろな「○○鉄」ファンを楽しんでいます。

　筆者の携わる「模型鉄」では次のような内容のメールをしばしばいただきました。

「私は子供のころ（45年ほど前）から父と鉄道模型を楽しんでおりました。15年ほど前に訳あって固定式レイアウトを閉じることになりましたが、父が車輌だけは残しておこうと思い、保存していてくれました。

　ところが、5年ほど前に父が確認したところ、大切にしていたC57が、保護用スポンジが腐食して車体の表面に張り付き、見るも無残な外観となってしまいました。メーカーに持ち込み相談したのですが、修理不能とのことでした。

　修理不能の返事が来るまで時間がかかり、その間に父は癌であっけなく亡くなってしまいました。先日、その他の車輌の状況を確認したところ、EF58・EF15が同様の状況になっていました。このEF15は、1986年に私が就職し初任給で購入した思い出の品でもあります。

　なまじ箱があったために、父が良かれと思い、箱に仕舞ってしまったことが、仇となってしまったようです（註：収納箱のスポンジで片側面が温湿度経時変化で硫化して塗装部に付着・腐食させていました）。貴殿にて修理していただくことは可能でしょうか。」

　鉄道模型に関するホームページを公開してからはや25年以上経過し、鉄道旅行、レイアウト作成、自作鉄道模型などを紹介し、そしてかつての勤務地であり、今は退職後の住みかとしている能登地区の廃線跡などを紹介していく中でいろいろとご意見をいただきました。

　そのうち、「○○が故障したらしく動かないのですが？」とか「長らく押し入れの隅に大事に仕舞っておいたら箱の中のクッション材がボロボロになり模型の塗装にくっついて剥げてしまった。塗装を元に戻せませんか？」、「親の形見なので久しぶりに取り出したら動きません。修復できませんか？」、「メーカーに修理依頼したら『もう5年経過しているので部品在庫がなく修理できません』とのことなので直せませんか？」、「海外製なので国内代理店では直せず部品もありません。修復できませんか？」、「うっかり落としてしまって動くものの塗装が剥がれてしまった、車体が変形、あるいは折れてしまった。メーカーでは断られて補修部品も分売されていないので何とか直せませんか？」などの問い合わせをいただきました。

筆者は、50年以上楽しくいろいろなゲージの模型に携わっていた、ということもあって何とかできないかということで、まずは部品代だけ頂戴してトライしてみよう、と10数年前より通常勤務のない休みの土・日中心で修理活動を始めてみました。

　初めての依頼者は海外勤務だった方で、当時の東欧圏で購入した12㎜ゲージの蒸機機関車で珍しい工法で組立てられた形式だったこともあり尚更模型魂が突き動かされ、慣れないマニュアル・言語に悪戦苦闘、冷や汗をかきながらもどうにか修復できました。依頼者の方から喜んでいただけたことをよく覚えています。

　それから HP を見たとメールを通して、または電話で少しずつ修理依頼が増えてきました。当然うまくいくことばかりではありませんでした。それでもいろいろと市販部品のないものも創意工夫あるいは流用して代替部品を作ったり、当方の専門分野である電子部品を交換したりして走行できる・点灯する状態に復帰させることができることが多くなり、楽しみ・生き甲斐を感じられるライフワークに結びついてきたところです。

　その一方、電球が切れた、走り方がギクシャクする、とか、部品が外れた、少し塗装が剥がれた、など自分で直せたならもっと鉄道模型を楽しめるのに、という方も多くいらっしゃると思います。

　この中で説明する用語では特にあまり定義に拘らず「修理」というポイントに沿って記していきたいと思います。16.5㎜幅レールで走る16番、HO、1/80、1/87、OO 1/76スケールの車輌を "HO ゲージ系" 又は "HO 系"、同様に9㎜幅レールで走る1/150、1/160，1/87軽便などを "N ゲージ系" 又は "N 系"、45㎜幅レールで走る1/18 ～ 1/32スケール、1番ゲージ車輌を "G ゲージ系" 又は "G 系" としてそして1/220 6mm ゲージ系を "Z ゲージ" として説明していきますのでご了解ください。

　昨今の模型は HO ゲージおよびその相当品や N ゲージ、また G ゲージ（1番ゲージ）Z ゲージはとても精巧なプラスチック成型や金属成型で、且つ巧みに組み上げられているので、不具合の原因を調べるのに分解するには躊躇することも多いでしょう。

　ここではそんな方たちをお手伝いできたら、少しでもお役に立てたらという趣旨でまとめてみました。更にウェザリング塗装したり、細密パーツを施したりとグレードアップされる方には物足りないかもしれません。

　ここではまず「自分で直して購入したときの性能を復活させる」ことを念頭にしてまとめています。そうすることでモデラーご自身でも楽しみの範囲を少しでも広げるお手伝いに繋げられたらと思い、自分の成し得た範疇ではありますが紹介できたらと思います。

電源を入れて電圧を上げても走らない、またはギクシャクと動いたり止まったり、ポンポンと叩くとまた動き出す、音が大きい、そしてライトが点かないなどが多い症状かと思います。

　ここでまずすぐに注油したり、分解したりせず何が原因かを慌てずに調べ、じっくり見極めてから対策を講じます。

　右ページ第2章の図1は一般的な調査手順と起こりうる発生箇所の一覧です。

　ここで不具合症状から大方の原因の目安を絞り込みます。多くの場合複数の原因が絡みます。

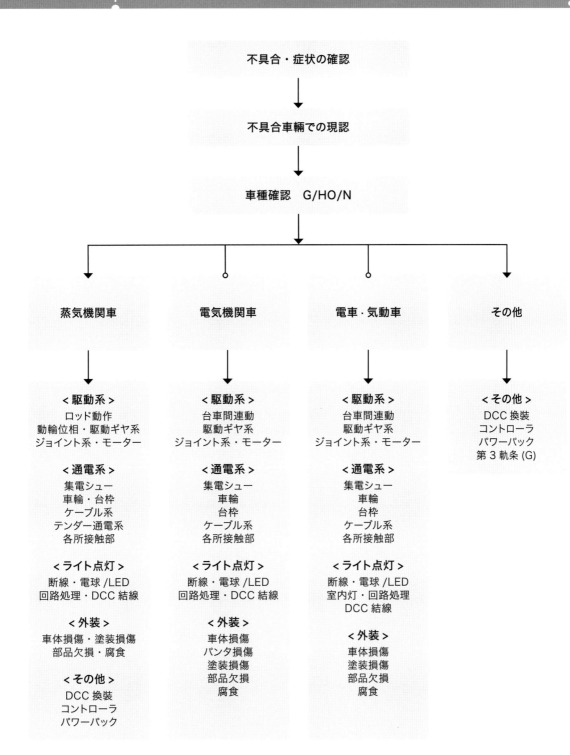

不具合・症状の確認

↓

不具合車輛での現認

↓

車種確認　G/HO/N

蒸気機関車

< 駆動系 >
ロッド動作
動輪位相・駆動ギヤ系
ジョイント系・モーター

< 通電系 >
集電シュー
車輪・台枠
ケーブル系
テンダー通電系
各所接触部

< ライト点灯 >
断線・電球 /LED
回路処理・DCC 結線

< 外装 >
車体損傷・塗装損傷
部品欠損・腐食

< その他 >
DCC 換装
コントローラ
パワーパック

電気機関車

< 駆動系 >
台車間連動
駆動ギヤ系
ジョイント系・モーター

< 通電系 >
集電シュー
車輪
台枠
ケーブル系
各所接触部

< ライト点灯 >
断線・電球 /LED
回路処理・DCC 結線

< 外装 >
車体損傷
パンタ損傷
塗装損傷
部品欠損
腐食

電車・気動車

< 駆動系 >
台車間連動
駆動ギヤ系
ジョイント系・モーター

< 通電系 >
集電シュー
車輪
台枠
ケーブル系
各所接触部

< ライト点灯 >
断線・電球 /LED
室内灯・回路処理
DCC 結線

< 外装 >
車体損傷
塗装損傷
部品欠損
腐食

その他

< その他 >
DCC 換装
コントローラ
パワーパック
第 3 軌条 (G)

図1　故障モードの車種別種類一覧

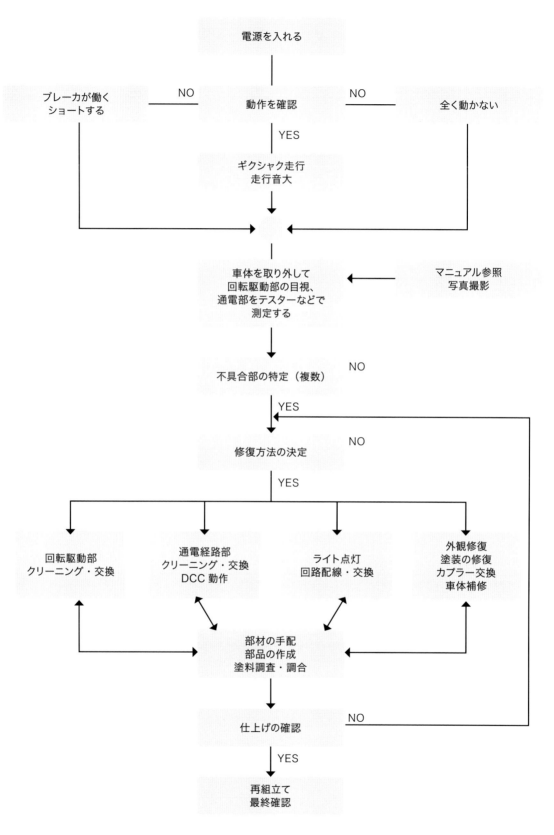

図2　現象からの原因・主因フロー

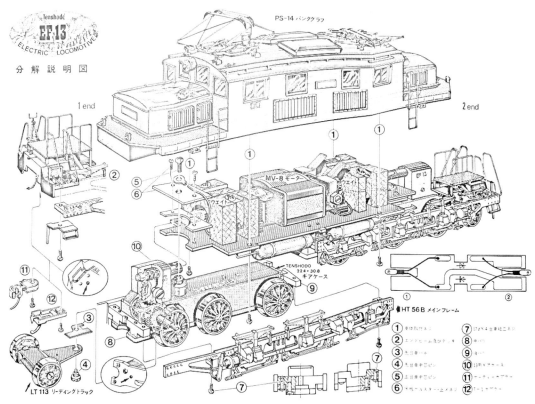

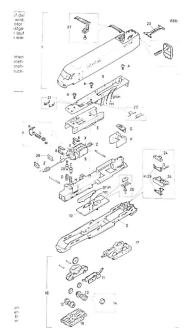

図3　分解図例（天賞堂製HOゲージ系とMärklin 社製Nゲージ）

　まずは購入したときに同封されている図3のような説明書にある注意書き等をよく読んでどのように組立てられているかの構造をよく理解します。

　もし分解するようになった場合、どのように車体と床下周りを外すのかは同じメーカーでも発売時期等によって大きくモデルチェンジしていますので十分理解ください。

　昨今は HO ゲージ系（ここでは16番、1/80 、OO などの16.5mm ゲージも HO ゲージ系で通称しておきます）でも N ゲージ系でも大変精巧なプラスチック製の嵌め合わせで組立てられているものがほとんどです。

　製品によっては、室内灯や DCC（Digital Command Control）などオプションパーツが後から組み込めるようになっていて、内部分解図が添えられていることが多いのでそれを参照して慎重に開封・分解するようにしてください。

　その際、後で組立て手順がわかるように分

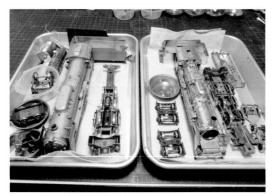

図4　分解写真例HO系ゲージ

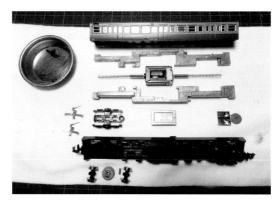

図5　分解写真例Nゲージ系

解順に写真を撮っておくことが再現するためのポイントです。

もう少し具体的に、ゲージに拘らずに掲げてみましょう。

第3章　各種電動車における不具合モードの具体例

蒸気機関車、電気機関車、ディーゼル機関車、および電車気動車の特徴に合わせて故障・不具合モードがいろいろあります。

3.1　蒸気機関車特有の不具合

1）ロッド類の破損

多くの蒸気機関車の駆動方式は、実物ではワルシャート式弁装置というピストンでの往復運動を回転運動に変換して走行できるように構成されています。多くのロッドや回転部品から成り立っており結構精巧で複雑です。模型でもここでのトラブルが多いです。

特に、往復運動とメインロッドの回転部を制御するクロスヘッドや弁装置を往復運動制御するモーションプレートでのトラブルが多いです。また主動輪に接続されている偏芯棒（エキセントリックロッド）、主連棒（メインロッド）、連結棒（サイドロッド）、そしてそれらを束ねているリターンクランクが

図6　HOゲージ系D51蒸気機関車の走行装置・ロッド関係

Ｎゲージでは挿し込んであるだけ、またHOゲージではハンダ付けして位置決めしてあるだけなので外れやすく走行ができなくなることがあります。

2）動輪関係

　真鍮製のC62とかD51などの動輪では進行方向に向かって左側車輪がフランジのあるタイヤ踏面下に絶縁体が挟み込まれてショートを防止しています。この絶縁体、多くは「バルカナイズドファイバー」と呼ばれるガラス繊維紙またはフェノール樹脂で絶縁被覆されており丈夫ですが、これが劣化するとショートしてしまいます。そしてこの車輪が真鍮など金属製の車体に触れるとまたショートしてモーターなどが破損しかねません。

　何か引っ掛かるようなロッドの動きでうまく走行しない場合は、各動輪の左右の位相差ズレの発生が多く見られます。差本的には左右のロッド位相差は90度で構成されていますのでこれがずれるとうまく回転が繋がりません。金属軸に圧入されている金属製車輪では少ないですが昨今のプラスチック製ではよく見られます。製造工法的に特に海外製でよく見受けられています。

　図7はその1例です。

図7　絶縁動輪と左右位相差（Nゲージ/海外MTH社製BR44）
写真左の第1,2動輪のカウンターウエイト位置が他の動輪と異なっている。写真右側は正常位置であることから、位相差がずれていることがわかる

3）ギヤ関連

　ボイラーと運転席では室内の広さが大きく異なるのでこの空間を利用してモーターを収納する構造が多いです。従ってモーターは車軸に対し斜めに固定されたうえで、ウオームギヤを介して動輪のウオームホイールに伝達されます。

　この場合、モーターは横軸型が多く、モーターの軸と連動ギヤの軸を繋ぐゴムジョイントの劣化で空回りするなどで不具合が発生することが多いです。

　ギヤ自身ではボックス内のグリスが劣化固化して回転不能になることが意外と多くギヤ自体の損傷は少ないです。ウオームギヤとウオームホイール（ピニオンギヤ）を収納しているギヤボックスとモーター軸を繋ぐジョイント部でのトラブルが、特に劣化してくると多いです。またギヤボックス内でもギヤ摩耗による空回りあるいは"噛み"が起こって支障をきたします。運転前後でのメンテナンスが重要です。数年に1回程度、メンテナンスをしましょう。ギヤボックスを外して、金属製の場合シンナーでブラシ洗浄して乾燥させ、新たに非鉱物系のグリスを廻し付けして塗布します。元に戻して噛み合わせをしたところでネジ締めし、ウオームギヤをゆっくり前後回転させ、馴染ませればOKです。

HOゲージ系ではロッドを通じて他の動輪に動力を伝えるのでそれほどではありませんが、Nゲージでは、ロッド類は補完的に機能していて、実際の動力伝達は台車枠内に収納されている連動したピニオンギヤで伝達されていることが多いです。このギヤはほとんどの場合プラスチック製です。古くはフェノール樹脂（ベークライト）製が多かったのですが、今ではいわゆる"エンジニアリングプラスチック"と言われるポリアセタール樹脂（POM）、液晶ポリマー樹脂（ポリエステル、LCP）、ポリブチルテレフタレート樹脂（PBT）、ポリエーテルエーテルケトン(PEEK)、ポリアミド樹脂（ナイロン-66）製などで作られており丈夫です。とはいえ経時変化や注油の影響、過負荷、または中心軸が金属軸で絶縁されて左右車輪が嵌め込まれている場合などでは位相が"ズレ"やすくなってしまいます。

ギヤ自身も金属軸に圧入されているので割れてしまって空回りする、ギヤピッチが狂って噛んでしまうこともしばしばです。

4) 本体とテンダー間の通電性

タンク型の蒸機では進行方向に対して先従輪や後従輪部又は動輪左側に集電ブラシを設けてN極を、動輪右側でS極を通電してモーターを回転させる方式が多いです。

一方、テンダー車ではN極をテンダー側の左車輪からテンダー本体に設けたポールに通電し、本体とこのポールを繋ぐ金属製の"ドローバー型カプラー"と呼ばれる板状の金具を通して本体にあるN極からモーターに結線して駆動する方式が多いです。

この"通電型ドローバー"でのオープンやショートしての導通性不具合が多く発生しています。

図8 ウオームギヤと連動ギヤ（上：ウオームギヤとゴムジョイント劣化、下：連動ギヤの割れと摩耗例

また、本体および台枠が金属製のことが多いHOゲージ系ではこの金属部の全てが片方

の極性、具体的には進行に対し右側（＋側）に接続されていることが多くショートを起こしやすいです。

　因みにこのタイプの場合はデコーダと極性分離するためDCC化は不適当です。

　このドローバー金具では図9のように、

①テンダー側のポールを挿し込む穴があり、そこにリン青銅製のバネ線で圧着して通電する仕組みとなっています。ここが錆びる、接触不良を起こすとオープン不良となり走行できなくなります。この場合、除錆するかバネ圧調整することで復帰します。

②本体側、多くはキャブ下部にリン青銅製バネと絶縁ブッシュ板を介してネジ止めで取り付け部があります。このネジにあるラグ板にハンダ付けされたリード線でモーター電極に結線されてモーターが回転します。

　このとき、この部分の絶縁が確保できずショートしてしまう、または本体に触れてショートしがちになり不安定な走行となることが多いです。

　この場合、絶縁ブッシュが割れてショートしていないか、線路上に置いて本体と接触し、ショートしていないか確認し、ブッシュの交換、止め部付近の絶縁距離をとる、あるいは熱収縮チューブを被せて絶縁するなどの調整が有効です。

　筆者の経験ではこの部分は構造的にも傷みやすいのでこのドローバーと並行して外観を損なわないような1ピンの小型コネクタを設けて補完することを勧めています。

3.2　電気機関車・ディーゼル機関車特有の不具合

1）両軸・2台車駆動

　昨今では"MPギヤ、ACEギヤ"という商品名で代表される、車軸に組み込まれたウ

図9　HO系の集電方法（1）タンク型　（2）テンダー型

（1）タンク式の場合の集電

（2-1）テンダー式でのドローバー集電不具合

（2-2）熱収縮チューブによる絶縁保護例

（2-3）補完ピンを取り付ける方法

オームギヤ駆動で、連動ギヤを用いないユニットをユニバーサルジョイントでモーター軸に接続して全輪駆動できる安定した製品があります。走行不具合、騒音は缶モーターの性能も伴ってかなり減ったと思います。

また、台車内に組み込まれた"トラクションモーター"や"パワートラック"など走行モジュールも改良されて製品化され、動力化しやすくなっています。

走行不具合の多くは、これら新製品が発売される前に長く愛用された駆動ユニットのウオームギヤ噛み合わせ不具合で生じることが多いです。

両台車駆動の電車・気動車、4軸動輪のDD、ED型、6軸動輪のDF、EF型では機関車の多くの場合運転席側の両端台車に組み込まれたインサイドギヤを介して13：1〜20：1くらいのギヤ比を有するウオームギヤ・ウオームホイールによってモーターからの回転駆動を伝達しています。

ウオームギヤが取り付けられたモーターは、インサイドギヤに設けられたモーター取り付け台に2本のネジで取り付けるタイプが多く、ここでの車軸に取り付けられたウオームホイールに噛合わせます。これがうまくできていないと音が大きかったり、空回りしたり、走りが重くなったりする走行不良となります。また、片方の駆動台車が不具合でも機関車としてはこの台車を引きずる走行となり不具合となります。

それ以外にもギヤ周りにはオイルが付着しているので走行時に糸屑や埃を巻き込み、回転を重くすることもよく見られる症状です。こまめに取り除きましょう。

2）連動ユニットギヤ

ウオームギヤ - ウオームホイール（ヘリカルギヤ）および車軸の歯車に伝達するギヤ

図10　Nゲージ系での集電系不具合

（1）Nゲージ系タンク型での集電

（2）テンダー側からの両極集電方法例

図11　駆動ユニット例

（1）従来型インサイドギヤとウオームギヤ

（2）"MPギヤ"駆動ユニット例

が一体化された"ギヤボックス"を用い、これにモーター回転軸をジョイントで接続して、軸を繋ぐゴムジョイントの劣化で空回りするなどで不具合が発生することが多いです。電気絶縁性も兼ねるために樹脂製のホイールも多く、摩耗を防ぐためのメンテナンスが大切です。

　ギヤ自身ではボックス内のグリスが劣化固化して回転不能になることも意外と多く、しかし金属ギヤ自体の損傷は少ないです。

3.3　電車・気動車・各国新幹線仕様特有の不具合

　海外製では電車の場合、パンタグラフからも集電できるように切り替えスイッチが付いた構成をNMRA（National Model Railroad Association、全米鉄道模型協会）規格に準拠して設けられていますが、国内製ではその縛りはありません。また、DCCデコーダ付でもDCC/アナログDC兼用のモデルも増えてきました。

1）縦型モーター駆動による汚れ

　これは、蒸機でも電機でも同様ではありますが、特にスピードを上げて走る電車・気動車に多いです。

　電気を各コイルに分配して、周辺に設置されている磁石と反発して回転力を得る直流モーターでは「整流子（コミュテーター）」と呼ばれる回転電極と、それに接するブラシが摺動していますが、このブラシがカーボン又は焼結金属でできているため削れて電極汚れおよび電極間にある溝に埋まりショートを引き起こし回転しなくなります。

　Nゲージで多く使われる横型モーターでも同様です。定期的にクリーニングする必要があります。

図11　駆動ユニット例

（3）台車組み込み型パワーユニット例

図12　直流モーターの構造（マブチ社製）と実際の縦型直流モーターのブラシを外して清掃中

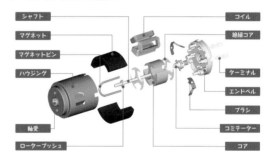

しかし、最近は缶型のモーターも増えていますが、これは全て缶ケースの中に覆われていますので埃・ごみの巻き込みは減ります。一方整流子部分のクリーニングは難しく、交換することになります。

また、小型化ができて台車内に駆動機構と共に組み込めることからコアレスモーターも増えてきました。これはローター部に鉄心がないのでカクカクッという回転ムラが生じにくく音も静かで回転数が速くて良い一方、大きいトルクには限界があります。比較的低価格なので不具合が生じた場合は交換するのが良く、かなり普及してきました。

2) 通電系の不具合

これも蒸機や電機でも共通の不具合原因であることも多いです。

各ゲージともにレールから〜±12Vの直流電圧を得るため、レール⇒車輪⇒金属台車枠又は集電ブラシ、集電シュー⇒床板にある金属ネジ又はリン青銅板に接触⇒モーター端子へのリード線ハンダ付け又はリン青銅線へと通電してモーターが回転、整流ダイオード⇒点灯します。

Nゲージではほとんどのメーカーが車輪〜モーター端子間はハンダ接続されず、バネ性のあるリン青銅などの金属切片を接触することで通電していますのでこれら接触部での導通不具合が多いです。これらリン青銅板の汚れ洗浄と変色、腐食では除錆剤での洗浄が望ましいです。

通常走行して楽しんだアフターケアとしては少なくとも車輪の踏面のクリーニングはしておきたいものです。ここにはレールの汚れや埃を巻き込んで変色し線路との通電性を悪化させます。専用のクリーニング剤で拭き取っておきましょう。

図13　Nゲージの通電系統

（1）左右分割ダイキャストシャーシ通電

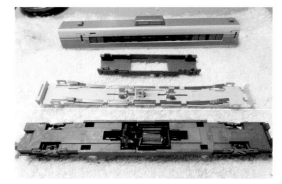

（2）リン青銅端子接触による通電

図14　電球型とLED型ライト

（1）電球型

（2）LED型（モールドとチップ型がある）

3）ライト関係

　HO ゲージ系ではまだまだ多くの電球タイプ車輛が現役です。修理では40年、50年経過した製品も多く、大事に愛好者の方々で楽しまれているので修復の機会も多いです。もっともこれに使われる米粒球（麦球、ミクロ球ともいう）や尖頭型の細い電球、テールライト用赤色の小型球などは入手が難しくなっています。使いまわして修復することも多いですがこれを機会に LED に換装することも増えてきました。

　電球型ではヘッドライト・テールライトの切り替えにセレン式整流器を使用している製品も現役で多く稼働しています。セレン式整流器はもう市販されておらず、代わりに整流ダイオードを使うこともできますが、スペースも取りますのでこれも LED 型点灯とし、制御抵抗器＋ダイオード、又は定電流ダイオードに交換することが多くなっています。

　同じ電球型でも "L システム" という1.5V電球を用いたユニットもあります。これはダイオードの順方向電圧（Vf）降下の正負6個分の中間出力を利用して構成されたシステムで、停車時の常点灯が目的です。電球が切れた場合に交換する際、通常用いる 12V 球とは異なりますので注意が必要となります。

　一方、N ゲージでは当初の1970年代以降の旧タイプでは電球型が残るものの、今ではユニット化された LED 点灯が多いです。これでの不具合は LED そのものよりも、このユニットに通電するリン青銅製などの切片の接触不良による不点灯が多いです。

　電球から LED への変更では、LED は極性と印加電圧が限られますので制限抵抗を付ける、ダイオードで逆方向電圧を防ぐなどの結線が必要です。これもユニット化されて販売もされています。

図15　ケーディー社製連結器（カプラー）の例

4）連結器（カプラー）

　HO ゲージ系では、当初は "ベーカー形" が主流でした。現在は実物の密連形、自連形、双頭型などで各社販売されており、利用する際、メーカーを跨って連結する場合は別売されているカプラーを購入する必要があります。メーカー間を超えて利用されているカプラーで専業の USA ケーディー (Kadee) 社から販売されている "KD カプラー" があります。ナックル形（グローブ形）で電磁式により自動開放が行える構造となっており、よく利用されています。

　種類が多いので戸惑いますが、#5と #148 があれば日本ではほとんど事足ります。

　欧州製ではリングカプラーも多く用いられています。分売もされていますので壊れた場合も交換できます。

　客車間や高速鉄道、電車間ではドローバー (Draw bar) 型と呼ばれる棒状の簡易連結器

を用いることが多いですがこれも各社専用を設けることが多くなってきました。

Nゲージ系では"アーノルド型"と呼ばれるL字型のカプラーが主流で、現在もバリエーションはあるものの同型が引き続き使用されています。また、自連形や密連形でも形状は似ていますが、メーカーごとに独自の構造となっていることが多く互換性は望めません。

電車や客車、貨車などの車輛間の連結は、Nゲージ系でもHOゲージ同様電車間、客車間の連結には各メーカー専用のドローバー連結器が用いられ互換性があまりありません。GゲージではLGB社"ロコカプラー"というHO系のベーカー形に似た枠形状のカプラーとなり、別売もされています。ケーディー製もあります。

3.4　その他の車輛

1）LGB、Bachmann製などのGゲージ

45㎜ゲージであるGゲージは子供たちが屋外でも楽しめるように、例えば無蓋車に、砂を載せる、タンク車に水を入れる、客車に人形の乗客を乗せるなどして楽しめるようになっているので少々手荒に扱っても壊れないよう頑強なプラスチック主体で作られています。

また通電系もLGBでは車輪から得る接触不良を起こさないように直接レールに集電シューを別途設けて押し付ける確実な方式であり、そして駆動構造は簡素にしていることなどで故障は少ないです。ただ、消費電流が大きくモーターが発熱しやすいので長い時間の連続走行には気を付けてください。モーターのトルクが小さくなったと感じたらモーターの交換が必要です。またアクセサリー部品は国内で輸入代理店がありますので取り寄

せるとよいです。

バックマン製は車体下内部にある動輪軸部に集電シューがあり、そこからモーターに通電しています。軸の回転部でありグリスも同時に付着してしまうため汚れやすい、また回転摩擦でリン青銅版が擦り切れることがありますので、走行後にメンテナンスをこまめに行うと不具合なく走り続けます。

2）Zゲージ

国内外ともにあまりメーカーは多くなく普及するにはまだ時間がかかりそうですが、この不具合の修理依頼もあります。その多くは集電シューの接触不良・汚れによる走行不安定です。構造はNゲージと共通点が多いので同様の使用後のメンテナンスが必要です。

3）非動力車

修理依頼では、プラ製台車のセンターピンの破損、室内灯などの不点灯、カプラー不具合そして塗装剥がれが多いです。特に編成運転では各メーカー専用のプラスチックの変形性を利用して連結するカプラーの破損が多いようです。また、共通カプラーとしてケーディーカプラーへの交換依頼も結構あります。

昨今の新製品ではカプラーポケットを用いて床板部に嵌め込む形式が増えています。それだけにメーカー間の互換性は薄らいでいる感があります。壊れた場合の同一メーカーでの交換は容易です。

第4章　海外製の特徴

ご承知のようにヨーロッパ各国での老舗のメーカーが多くメルクリン社の三線式交流などの戦前からの歴史的なメーカーもあります。また、各メーカーでも個性的な、メカニックに強いマニュアックな設計を取り入れているため車体組立て方法も走行構造も多種多様です。

今日ではメルクリン社が多くのブランドを合併していますが、それでもブランドを残し各メーカーの設計仕様は一様ではありません。初期製品は車体と下回り、そして台車枠もダイキャスト製が多く重厚感のある製品が多かったです。内部構造、通電系もシンプルでした。

一方で、設計技術革新が進み金属製は減ってきて、精密な金型設計技術が取り入れられて細かい部品も一体化できるようなプラスチック製品が多くなってきています。ここにも凝った設計が見受けられます。製造の多くは欧米ともに中国で行われている製品がほとんどです。中国製でも大変精巧なモデルを製造しているメーカーもできてきました。

これら欧米の製品は、国内では総代理店が販売しているケースが多いですがほとんどの場合完成品とその周辺部品しか取り扱っておらず、不具合が生じた場合に交換部品を手に入れようとしても海外の代理店経由で行うしかなくとても厄介です。

従って修理するにあたっての系統的な指針をまとめにくいのですが私の経験から大まかに整理すると以下のようになります。

1）プラスチック製の動輪スポーク・ギヤが多用されており、割れや空回りが発生するなど致命傷が発生しやすい。

2）アメリカ型の2シリンダーを有する"チャレンジャー"や"ビッグボーイ"や"マレー型"と呼ばれる大型蒸機での不具合修理で分解することも大変難しい作業となります。これらには各メーカーは詳しい構造を記載した説明書が付属しているので熟読して順序よく分解していかねばなりません。分解して不具合箇所を修復できても、さあ元に戻して組立てようとしても手順をしっかり把握しておかないとつらい思いをします。蒸機の場合トラクションタイヤなどとも称するゴムタイヤを交換するだけでも苦労することになります。

3）昨今の分解修理の難しさ。ICE、ETR、TGVなど欧州新幹線型などの編成車輌は下回りと車体を取り外すのが国内製に比し凝っていて結構手間を要しますし、万一外せても後で元に戻すときの手順をしっかり記録しておかないと復帰できないことも多くあります。必ず写真を撮っておく必要があるほか、デッキ周り、台車周りや付属パーツを破損しやすいです。

4）当初からのDCC（https://www.nmra.org/dcc-working-group）化製品、サウンドモジュールが搭載されている機種が増えています。必要最低限の規格は守られていますが実配線は各社各様です。加えて無線仕様が搭載されていると蒸機ならばテンダーまでも回路で一杯になっています。この車輌でトラブ

ルが発生すると自分で復帰させるのは単純な
リード線の断線くらいでほとんど手出しでき
ないほどです。USAのMTH社やAthearn社、
Broadway Limited社などが代表的です。

5）NMRA規格（https://www.nmra.org/
index-nmra-standards-and-recommended-
practices）ここに規格の詳細と、利用メーカー
一覧が掲載されています。国内でもDCCを
専門に扱う熊田貿易など代理店がありますの

で相談すると良いでしょう。

そうです、海外製の修復でもっとも困難な
のは不具合箇所がわかっても交換部品がまず
入手できないことが最大のネックとなるので
す。DCC化された車輌ではHO/Nゲージに
拘らず専用のデコーダを用いる製品が多く、
既存のアナログDCと併用して用いるにはデ
リケートな機能なので国内調達は貧弱となり
海外の代理店から入手するなどの手立てが必
要となります。

Nゲージは1960年代に欧州で始まりまし
た。日本では1970年代当初よりプラスチック
製品化が増え、製品バラツキも大きく、当時
はABS樹脂の香港製なども交じってかなり
玩具に近いものから欧州製のスケールモデル
まで、金型成型技術が十分でなく下回りの走
行構造部の品質にも幅がありました。車体と
下回りは、多くのメーカーではフックで引っ
掛ける、あるいは嵌め込み程度で簡単に取り
外すことができました。

しかし、今では内装部品の充実化、ライト
配線内蔵化で配線接触させるための金具を固
定するのでかなり位置関係・押圧強度がしっ
かりとできているので分離は慎重にしなけれ
ばなりません。車体の厚さも薄く弾力がある
スチロール樹脂系が多く、3D設計技術と射
出成型技術が格段に向上してディティールも
一体化できるほど精巧になりました。力ずく
で外そうとするとフックが折れたり、ドライ
バーでこじ開けると接触部が曲がってしまっ
たりそして塗装を傷つけたり、また端子接続

部接点を痛めたりしてしまいます。

国内外を問わずほとんどのメーカーの設計
思想に、

①通電部のハンダ付けは極力行わない。従っ
てリード線も極力用いない。

②車輪〜集電板、集電板〜モーター端子間、
ライト関係接点から床板部の接触部など通
電接触部には0.15mm厚程度のリン青銅板を
用い、弾力性があるので可動部でも通電で
きる。

③牽引力が必要な機関車類ではアルミ系ダイ
キャストブロック成形品を左右半分ずつに
分け、モーター〜駆動部ギヤ〜台車固定部・
電極部、回路板などを収納して固定部品を
極力減らし、その上で通電性とウエイトを
兼ねる。

④塗装では転写印刷（パッド印刷）の精度が
大変上がり、曲面や塗分け、デザインも今
までの塗分けと異なり塗装段差も少なく美
しくできる。

ことがあるように思えます。これは勿論

図16　代表的なプラスチック製モデルの構造

（1）海外P社製HO系の精巧な電機2例。車体と一体化、台車と一体化部品が多い

メーカーの立場からすると、「どこの国でも容易に組立て、生産でき、外観も美しくしかも工数が少なくコストを抑える」ことに他なりません。一方、HOゲージ系でもプラスチック製車体が海外製はもとより国内製でも増えました。Nゲージ以上に下回りを中心としてのディティール一体成型が多くなされるようになっています。

欧州製電機や優等電車や固定編成列車などでは本体と下回りを外すのにも複数の内部フックによる嵌合が、見てもわからないほどの隙間なく精巧に組立てられているので外すのには同封されている説明書を見て、手順をじっくりと読み込んでから行う必要があります。また、ない場合は更に構造を慎重に見極めてから外す必要があります。

その際、後述しますが薄刃の取り外し工具がありますとドライバーとは異なり刃幅があ

るのでプラスチック成型部を傷つけずに外すのに大変重宝します。

一方、金属製車体、下回り構造の製品では、Nゲージ、HOゲージ系ともに下回りの4～8隅にあるネジ締め、または車体上部にある煙突部やドーム、また制御機器カバーを取り外すとネジ締めになっているものが多く、複雑な大型蒸機などでも比較的容易に外すことができるように設計されていることが多いです。歴史的には真鍮製を主に圧倒的に金属製の蒸機、電機、電車、気動車、貨客車が中心でした。ハンダ付けで組立てられ重厚感のある製品が多いです。精密な加工することも可能だったので今でも人気があり、今では更に精巧なパイピング加工なども行われているので実物感この上ないです。

一方、その分価格は、4、50年前もそうだったように今日でも更に高価になりました。

構造上モーター～ギヤ音が車体に振動して伝搬する、加えて車体内で反響してあたかもスピーカーボックスのようになり大きくなる課題もあります。

金属車体では多くの1.4mm～2mm φネジを主に多く使われることから、充電式小型電動ドライバーセットがあると効率的に取り外し作業ができます。

蒸機などではロッド関係は基本的に初めからは取り外さないでおくことで後の再組立て時に迷わない、間違いないようにしなければなりません。旧型の製品では量産品であっても1台1台若干寸法が微調整されていることが多く下手に位置関係も把握せずバラバラにして再度組立てても引っ掛かりが出てギクシャク走行する、酷いときには回転さえもしなくなってしまいます。車体分解時でも分解順に写真をいろいろな角度から撮っておく、部品

を左右で区分けして保管する、マジックや鉛筆で場所関係に記号を付けておく、テープを貼って位置を書いておくなどの事前の綿密な区分けが重要です。

これは蒸機だけでなく他の電動車でも同様です。

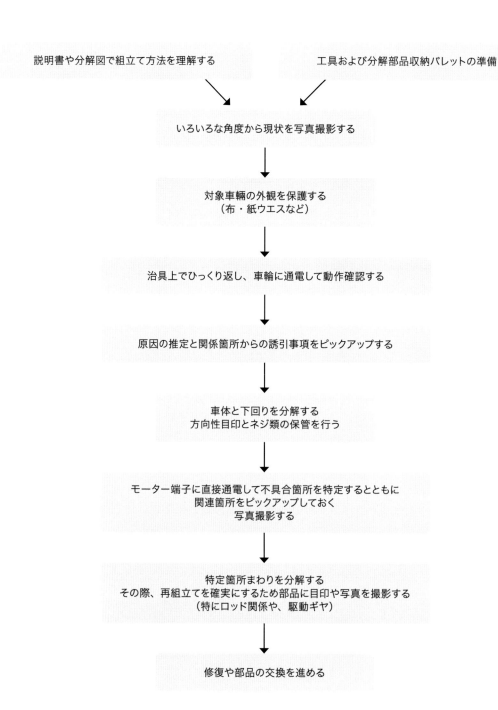

説明書や分解図で組立て方法を理解する

工具および分解部品収納パレットの準備

いろいろな角度から現状を写真撮影する

対象車輌の外観を保護する
（布・紙ウエスなど）

治具上でひっくり返し、車輪に通電して動作確認する

原因の推定と関係箇所からの誘引事項をピックアップする

車体と下回りを分解する
方向性目印とネジ類の保管を行う

モーター端子に直接通電して不具合箇所を特定するとともに
関連箇所をピックアップしておく
写真撮影する

特定箇所まわりを分解する
その際、再組立てを確実にするため部品に目印や写真を撮影する
（特にロッド関係や、駆動ギヤ）

修復や部品の交換を進める

図17　分解手順と区分け方法

第 **6** 章 デジタル制御（デジタルコマンドコントロール；Digital Command Control・DCC、鉄道模型をデジタル信号で遠隔制御するための方式）

6.1　DCC デコーダの使用例

　DCC は、第 4 章でも記しましたように全米鉄道模型協会 NMRA 規格で標準化されているアメリカの鉄道模型統一規格です。

　ヨーロッパの鉄道模型規格であるNEM 規格も NMRA の DCC 規格に追従し、NMRA 規格が事実上の世界標準となりました。独自方式であるメルクリン社のメルクリンデジタルを除き、各社ともに NMRA 規格に従った互換性のある製品を発売するようになっています。

DCC Working Group(https://www.nmra.org/dcc-working-group) に概要が紹介されていますので参照ください。

　しかし、ここでは基本的な赤外線リモコンを使ってアドレス制御方式の入出力やコマンド関係の仕様についてのみ規制しており、施行細則は各メーカーで異なっています。

　最近では無線方式も増えています。また、スマートフォンにアプリをダウンロードしてWi-Fi 経由で制御する方法が増えてきました。

図18　具体的なDCCデコーダの配線組込み例

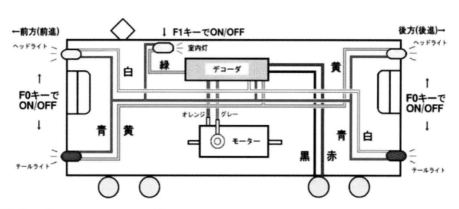

（1）K1社販売デコーダ（KATO HPより、Digitrax製）

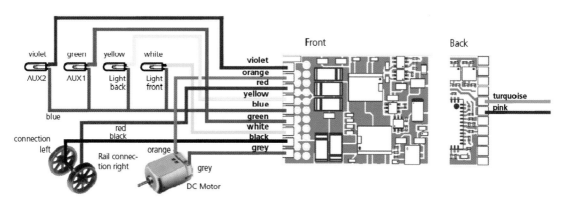

（2）LokSoundデコーダ（ESU製）

23

このシステムの概要ですが、全般的には同一線路内での複数車輌の走行、点灯だけでなくサウンドレコーダーICも組み込まれ、またUSAでは無線制御する、あるいはレイアウト内のターンテーブルやポイントなども制御するメーカーもあって実際の使用は大きく枝分かれしています。また最近ではDCC/アナログDCの両制御できるメーカーも増えて今までのパワーパック電源で走行できるデコーダーを備えた車輌もあります。

　欧米では、Lenz、Digitrax、NCE、NGDCC、Soundtrax、ESU、MRCなど多くのメーカーがあります。

　国内ではKATOがDigitrax製デコーダを取り入れて簡単に車輌に組み込むことができるように展開しています。なお、天賞堂製カンタムサウンド・システムは通常のDC電源を用いて専用のコントローラーで制御するなど少し仕様が異なります。

　では通常のDC電源駆動の車輌をDCC化するにはどうするかについて記します。

　図18は、通常のパワーパック（アナログ電源）走行する電動車に取り付ける際の説明書にある実態配線図です。(1)はDigitrax製、(2)はESU社製のデコーダの配線組込みの配線図です。これに音声を追加できるサウンドデコーダもあります。

　約20×30mm程度の回路基板に線路より受けた交流信号をデジタル処理回路が設けられ、入出力ピン又は色分けされたリード線が汎用では8本、多い処理回路では21本の接続線が設けられている信号変換ユニットが"デコーダ"と呼ばれています。

　国内製の非DCC車輌への組み込みは図18のように、通常のDC電源車は両レールから車輪を介して印加電圧をモーター両極に取り込みますが、デコーダではこの2本の線をモーターから切り離し、デコーダの黒および赤色のリード線に接続してレールからPCM交流信号を得ます。そしてモーターへはオレンジ、グレー色のリード線でモーターに接続し直流信号入力を得ます。これが一番大事なポイントです。

　いずれの場合もしっかりと、添付されている説明書を十分読み込んでから取り組んでください。
これには保護回路が設けられていますが、不用意に電源を入れたり、素手で静電気が加わったりすると不具合を起こしやすいです。また、デリケートで高価ですので、ハンダ付けの際の過熱などで破壊しないように取り扱いには十分注意が必要です。

　組み込みましたら、配線に間違いがないかしっかり確認し、それからコントローラーを通じて線路上で電源を供給してください。なお、各デコーダには組み込まれた車輌を認識するための「車輌アドレス」を入力しなければ動きません。どのデコーダも初期設定は「アドレス03」となっています。

　詳しくは説明書、又は説明書に記載されているホームページの「マニュアル」を参照すると良いです。

　海外製では8ピンのコネクタで本体に直接接続する仕様となっていることが多いのですが、国内ではご自身でハンダ付けして接続する必要があります。

　繰り返しますが、「レールから通電されているモーター間の接続を外し、新たに赤線と黒線のリード線をハンダ付けしてモーターからは分離すること、次にモーターへはオレンジ線と灰色線でハンダ接続してデコーダを介して通電すること」を確実に守ってください。

　図19 (a) は、先に記しました車輌本体に実

装したNゲージEMD45ディーゼル機関車、HOゲージ系ETR650への例を紹介しています。デコーダによっては今までのアナログ電源で走行できる共用デコーダも、一部機能は制限されますが、あります。

　図19(b)ではヘッドライトとテールライトの従来の結線からデコーダへの接続に変更した例です。Nゲージでも HOゲージ系でも最近では "ライトユニット" などという商品名でユニット化され、車輛の運転台などに組み込む形になっているので、デコーダ化するにはユニット内部の接続を変更しなければなりません。

　具体的には、ヘッドライト、テールライト、室内灯へ青色のリード線を正極にして接続し

図19　(a).DCC化の実装例

①Nゲージ/EMD45のDCC化

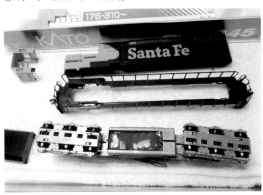

②HO標準デコーダ搭載部

③HOサウンド付きデコーダ取り付け

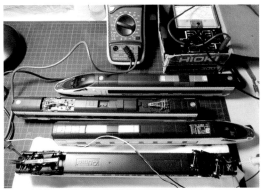

④-a HO/ETR610三線式搭載

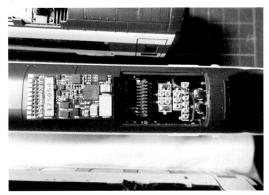

④-b ②デコーダ部分

④-c 汎用電源による制御も可能

ていきます。なお、デコーダによっては電球
でも使えるように電圧が掛かっているのもあ
りますのでLEDライトの場合は電流制限用
の470〜2Kオーム程度の抵抗を直列に接続
しないと切れてしまいます。この注意書きは
デコーダ説明書に記載されていますので必ず
読んでください。
（マニュアル例ホームページよりダウンロー

ドできます）
①『Mobile & Sound Decoder Manual』
②『PIKO digital　Manual』
③『LokSound V4.0　Instruction Manual』
④国内の紹介記事
https://www.narrow-gauge-shop.com/
entry/DCC-MRC1200-Tech6

図19　（b）DCCデコーダ化によるLED点灯変更例（T1社製HO系クモニ83）

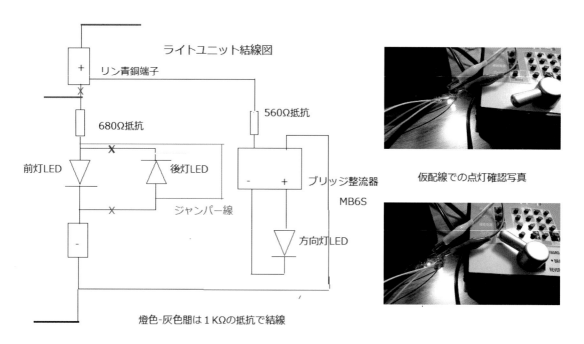

ライトユニット結線図
リン青銅端子
680Ω抵抗
560Ω抵抗
前灯LED
後灯LED
ジャンパー線
ブリッジ整流器
MB6S
方向灯LED
燈色-灰色間は1KΩの抵抗で結線

仮配線での点灯確認写真

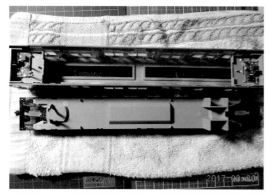

T社ライトユニット回路をDH126Dデコーダで点灯する回路変更を行う

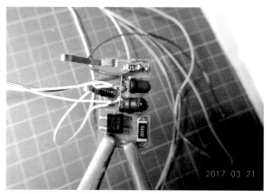

上図回路のように基板の結線と制御抵抗を変更する

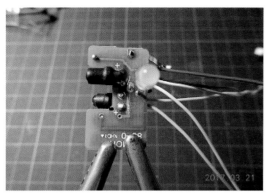

デコーダからの結線は共通(青)、黄色、白線を接続することで完了した

サウンド付きデコーダを一体にした専用デコーダも増えてきました。図20はその例です。制御は専用のコントローラーから車輌アドレス、通常は"03"ですが、入力して走行できるようになります。詳しくは各デコーダメーカーのマニュアルを参照ください。英語版が多いですが翻訳文もインターネットから入手

図20　デコーダ搭載例

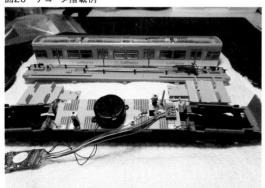

HOゲージ

Nゲージ4-4-4-4大型蒸機のテンダー部

できます。

　DCC車輌をレールに載せてから電源を入れるとか、電源電圧がDC電源では～12VDCですがDCCでは16VDC～とか条件がありますので留意されると故障リスクを防げます。メーカーによっては元電源が100Vより220Vに変換するトランスが必要な機種もあります。

　なお、旧型の真鍮をはじめとする金属製蒸機等車輌では車体自身をS極通電経路に用いている製品が多いですが、レールから絶縁してモーターに通電する経路としてはDCC化ではデコーダがショートして破壊するリスクが高くお勧めしません。車体を通電経路には使用しないほうが良いです。

6.2　ROCO（R1）社製DCCコントローラー

HP;https://www.z21.eu/en/z21-system/general-information

　統括制御を行うのに2012年ごろからグレードアップされてきたコントローラーでかなり普及しています。このコントローラーの特徴は、
①制御を専用プログラマーで行うのではなく、スマートフォンやタブレットに専用アプリをダウンロードして行うこと
②従って無線LAN (Wi-Fi) で複数のコントローラーとして、走行、ライト、音声、ポイントなどを制御できること
③M1社製も含み欧州メーカー製は勿論、NMRA/NEM規格に相応するデコーダが使用できること
　など、進歩的な取り組みがなされています。一方、国内での普及は、日本語の取り扱い説明書が充実していないこと、操作・取り扱いが複雑なことや国内大手メーカーでの取り扱いがまだ少ないことから進んでいないことが

あるようです。

　図21の写真は、簡易型R1社製Z21コントローラーを、専用アプリをダウンロードしてAndroidスマホで開いた例です。勿論アイフォンでもタブレットでも使用できます。

　初期設定さえうまく入力できれば、使い勝手は良さそうです。

　逆に、DCC車輌を購入したけれどもレールを敷くスペースが狭かったり、制御が複雑なのでこのシステムは不要で元のアナログDC駆動に戻してほしいという方が多いのも事実です。

　8ピンコネクタタイプの場合は変換コネクタが付属していることも多いですが、初めから組み込まれているものでは付属していませんので作成が必要です。

　この場合は、色分けされた8ピンのリード線のうち赤・燈・黄色線を、そして黒・灰・白をそれぞれハンダ接続して繋ぎ、赤-青間には赤側正極ダイオードと制限抵抗460Ω-1.0KΩを結線して先頭側の点灯を、灰-青間には灰側正極ダイオードと同じく制限抵抗460Ω-1.0KΩを結線して後部側の点灯と走行を行うようにすることができます。

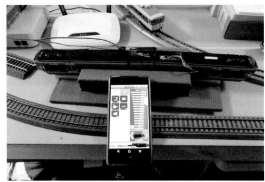

図21　ROCO社製無線LAN式コントローラーとスマホ上の制御画面例
（マニュアル）https://www.z21.eu/en/downloads/manuals

第7章　修復の実際

　では実際の修復について不具合箇所ごとに分けて説明していきましょう。

　多くの場合1か所だけが原因で不具合が起こることは少なく何か所かが関連して動かないとか、ライトが点灯しないとかになることがほとんどです。

　その前に、皆さん車体本体と下回り駆動部を分離するところから戸惑うことが多いでしょう。

　どこから車体を取り外したらよいか、変に開けたら車体を傷つけたり壊したりしないか、元に戻せなくなったらどうしよう、などと心配になります。

　まずは同封されている説明書にある展開図や分解構成図をよく読み込みましょう。客車など動力車以外では付属していない場合もありますがどういう構造になっているかいろいろな角度から確かめてみてください。

　代表的な機種やゲージで大まかに傾向を整理してみますと、

① HO ゲージ系金属製

1）蒸機

先従輪をボイラーに止めるネジと運転台（キャブ）最後部下に2か所台枠（シャーシ）をネジで固定する機種が多いです。その他では本体の煙突やドーム下にあるネジで固定している機種が、特に海外製で多く見られます。ロッド関係は分解してはいけません。ロッドで不具合があったときは別途順序だてて取り外します。

2）電機、ディーゼル機関車、電車、客車など

いわゆる「箱型」車では床下の四隅と中間部の片側2か所の計6〜8か所のネジで固定されている車輌が多いです。

② HO ゲージ系 /N ゲージのプラスチック製

1）蒸機系

カプラー、前方デフ板やデッキ部やキャブ部とボイラー本体、アクセサリー部が別々に嵌め込まれて組み込んでいる例が多いです。接着剤やネジは使われていません。組み込み順があるので分解したら必ず写真で記録しておきましょう。力づくで外して嵌め込みフックなどを折らないように気を付けます。

その際集電用のリン青銅板などが挟まっていることが多いので位置関係を把握しておきます。それと間違ってもロッド関係は外してはいけません。

2）電機、ディーゼル機関車、電車、客車など

「箱型」の品種では本体内側にある凹部と床板に一体成型された鉤型フック凸部に引っ掛かって固定している車輌が多いです。

ひっくり返して床板と車体本体端部の間に少し押し広げてフックの場所を確認し、それから"ヘラ状"の「パーツオープナー」のような薄刃の平板で、床下側から押し込んで少しずつ押し上げるようにして車体本体と床板側を外していきます。ドライバーなど刃幅が狭いと左右に回ってプラスチック自身を傷つけることが多いのでお勧めしません。

動力車やライト系が備わっている車輌では組み込まれているユニット部品も外れることが多いので、それらの位置関係を撮影・記録しておくと良いです。

7.1　動力機構部（モーター、ギヤ、車輪、蒸機ではロッド類・動輪）

第2章、3章で不具合の見分け方と原因の絞り込み手順についてフロー図を記しましたのでこれに基づき具体的に例を挙げていきます。

上位故障モードである"まったく動かない"を説明します。

蒸機、電機、ディーゼル機、電車等問わず動力車ではまずこの不具合がきっかけとなります。製品年代、メーカー問わず横型モーターを用いる蒸機以外は共通構造が多く、最近では2種類に大別できます。

①縦型モーター＋インサイドギヤを用いた片側又は両側台車駆動

②横型モーター＋ユニバーサルジョイント＋台車内ギヤ駆動の片方又は両台車駆動

①は HO ゲージ系の旧来タイプの動力伝達構造で、修理の際はこの構造がまだまだ主流となります。

②は HO ゲージ系では"ＭＰギヤ""ACEギヤ"など、Ｎゲージでは全般に用いられている動力ユニットです。比較的このユニットの故障はまだ少ないです。

多い不具合モードを掲載します。

HO ゲージ系でもプラスチック製の車体も増えたので、車体本体と動輪系、ロッド類、前後従輪が接触してショートする不具合は減

＜蒸機系＞

	不具合箇所	原　因	修　復
蒸機	モーター（横型、HOゲージ系）	整流子・ブラシ摩耗・接触不良、汚れ軸の錆びつき	横型ではカーボン汚れ、詰まりの除去・洗浄、缶モーターでは交換
		ゴムジョイントの劣化	軸径のシリコンゴム製に交換
		結線部接触不良・断線、車体内部で接触ショート	リード線の交換、ハンダ付け、絶縁、リン青銅板の洗浄
	ウオームギヤ	軸側のギヤ割れ、空回り	ほとんど車輪間軸に圧入されているので交換・入手も困難。部品取り用車軸が必要
	ロッド類	ロッドピン・ネジの緩み・外れ	クランク位置を確かめた上で押し込む又は締め直す。ネジは専用の段付きピンが必要
		クロスヘッド部、加減リンク部往復運動の阻害で引っ掛かる	関連ロッドの交換、複製だがプラ製の場合は致命的で交換しかない
		リターンクランクの位置ずれ	真鍮製の場合ハンダ付け位置補正
		多くの場合左側絶縁動輪にクランク類が動輪接触ショート	クランク形状の整形、絶縁ワッシャなどによる分離
	動輪	各動輪の左右ピン位置の位相差90度から外れて回転しない	金属・プラ製に拘らず多くの場合圧入されているので他の動輪の位置に合わせて修正し、接着固定する。経時変化でプラ製に多く見られる
		金属製車輪の場合左側動輪の軸部又はリム部に挿入されている絶縁体が劣化しショートしている	動輪を交換するしか代替方法がない
	台枠（シャーシ、フレーム）	経時劣化でボロボロになり、変形して動輪が回らなくなる	致命傷。部分的なら真鍮板などで補完できるが動輪数が多いと寸法精度が出なく走行難
	通電ドローバー（テンダー車）	本体とドローバーが接触しての絶縁部がショートしている	ドローバーに収縮チューブなどを被覆する
		通電しないで走行しない	テンダー側の接触ピンとドローバー嵌め合わせる部分を磨いて通電する。またテンダー台車からの通電を洗浄して通電を確実にする

表1　蒸機系の故障モード

りました。過去の金属製品ではレールの通過できる回転半径にも制限がありました。

　Nゲージでも集電シューを用いた通電を行う品種が増えたのでトラブルは少なくなった

一方、ディティールが精密になってきたのでメンテナンスをしっかり行わないと走行トラブルを起こしやすいです。特にマレー式機関車、2シリンダータイプの大型機"チャレン

図22　蒸機での修復例
（1）モーター周辺（駆動部の修復）

①HO系古いC62の再生でモーター・駆動系の錆

ポイント 分解する前に全体部品構成を確実に撮影しておく

②モーターは個別に分解掃除　特にシャフトと整流子部分

ポイント 希塩酸/有機リン酸系を使い分けて除錆洗浄する

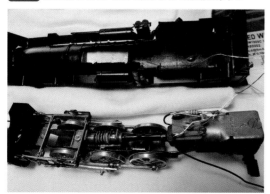

③モーター～ギヤ回転部を調整しながら組みこんで再生

ポイント モーターへの給油は軸回りの必要最低限とする

①N/海外F社製蒸機のテンダードライブ型モーター不具合で火を噴いている

ポイント 整流子溝部を洗浄して復帰するか確認

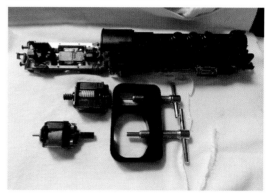

②同等モーターに、プーラーを用いてウオームギヤを外して交換する

ポイント 外す前に、軸の根元とギヤ間距離を計測しておく

③テンダー部に組み込みなおし、ウオームホイールとの位置関係を調整する

ポイント 回転軸歪みやズレがないかを、音も聞いて確認する

ジャー"ビッグボーイ"などでは尚更です。

　また、ダイキャストを用いた台枠（フレーム、シャーシとも呼ばれる）を用いた製品では経年劣化で酸化脆弱になり更に膨潤・湾曲して動輪を支えている切込み位置がずれてきたり狭くなったりして回らなくなる、またはロッド回転ができなくなって動かなくなる場合が多々あり、Nゲージでは特に初期の欧米製品で多く見受けられます。

　修復する際にはかなり分解手順が複雑且つ精巧にできていますので段取りごとに事前に写真を撮りながら進めると修復後に再組立てするときに迷わず確実に元に戻すことに繋がります。

（2）駆動ギヤ周辺の修復

①DCC駆動型中央シリンダーギヤボックス内の不具合を確認する

②ウォームギヤをホイールに嵌合する抑え蓋に劣化外れがないか確認する

③プラ製の蓋を万力で押さえながら熱を加えて整形する

④ギヤボックス内のギヤ噛み合わせの調整とグリス塗布を行う

⑤抑え蓋を嵌合し、補強して噛み合わせを復元した

⑥US M社製2-8-8-8-2の3シリンダー大型蒸機の修復完了

（3）ロッド類
〔1〕HOゲージ系金属製（欠損や折損の補修）

①左側のバルブギヤーおよびメインロッドを除く全てのロッドがない。加減リンクも破損

ポイント HO/C11ロッド再生

②正常側。弁心棒クロスヘッドがなく加減リンク中央にハンダ付けして固定されている

ポイント 反対側と各部同寸にサイズを割り出す

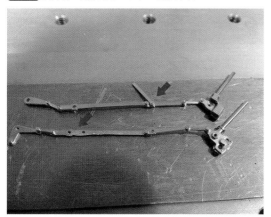

③市販品の長さを調整する
a）ピストン棒径が異なるので穴を1.6mmに広げる
b）偏心棒長さの変更・改造　c）心向棒長さの変更・改造
d）主連棒長さの変更・改造　e）加減リンクの改造

ポイント 分売C型バルブギヤーセットを改造して再生する

④叩き出しし延ばす、切って短くし回転穴を開け、リベット固定

ポイント 穴あけ部を中心に摺動・回転動作を詳細にチェック

⑤加減リンクは厚さを半分に研磨し、凹みをリューターにて形成した。

ポイント 外正転・逆転での引っ掛かりがないか調整

⑥必要な箇所に仕上げ黒塗装をして組み上げ動作確認して復活した

ポイント 左右位相差動作の最終確認

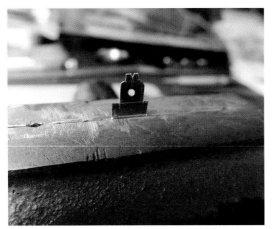

①HO系Cタンクのクロスヘッド再生

ポイント 0.2mmt真鍮板にて反対側との寸法を揃える

②およびロッドピンの再生

ポイント ロッド間ピン位置を正確に出すこと

③再塗装した後組み上げて走行調整し、復帰した

ポイント 回転関係部の調整をロッドごとに動作を確認する

〔2〕HO/R1社製BR蒸機プラスチック製例

①矢印部プラ製クロスヘッドに連動するユニオンロッドピン保持部が折損し動輪が回らない

ポイント 一体成型部で補修難

②クロスヘッド側に挿し込み耐衝撃接着剤と溶剤溶融樹脂で保持部を設けた

ポイント 折損部の樹脂整形

③一応走行を復活できたが、耐久性は厳しい。部品取りできれば良い

ポイント 部品入手したい

〔3〕Nゲージ

①9600/N クロスヘッド折れで代替品の入手が不可だった。可動部があるので複製もできない

ポイント 部品取りが良い

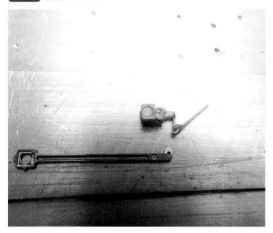

②このプラ成型のクロスヘッドはリターンクランクの回転、スライドヘッドの摺動保持、ピストン棒の押引動作保持の3つの動作を支えている

ポイント ナイロン製なので部品交換しかない

③代替品が入手不可でしかも3か所の可動部があるので、溶融樹脂やUV樹脂、ピンには真鍮線を通して繋ぎ修復する

ポイント 0.2mm～のドリルで穴あけして代替する

（4）シャーシ・フレーム（錆びや反りの対策）

①D52/N シャーシの腐食で回転できず。ギヤ割れもある

ポイント 無理に動かさない

②シャーシ周辺も腐食している

ポイント 割らないよう少しずつ

③酸洗浄を行ってその後水洗いをしっかり行う

ポイント 常温エッチング

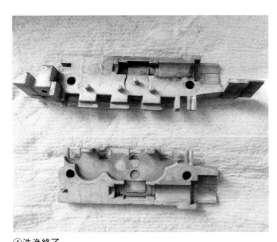

④洗浄終了
ポイント 十分乾燥する

⑤再組み込み
ポイント 分解時と逆順に組み込む

⑥テスト走行
ポイント ゆっくり前後進させる

（5）通電ドローバー周辺（テンダーからの通電対策）
〔1〕HOゲージ系

①HO系/C58の接続部のショートで従輪枠にも接触する
ポイント 本体接触部場所の複数の明確化

②ドローバー・テンダー車輪の除錆・クリーニングを行う
ポイント 除錆とテンダー車輪～部の通電改善

③絶縁ブッシュ交換・収縮チューブ覆い、車輪～ドローバーのクリーニングを行う
ポイント 接触部への絶縁

①HO系D50のカーブ走行時のショート確認

ポイント テンダーを切り離してN極を通電し状態のチェック

④ラグ板下に絶縁ブッシュを敷いて絶縁を確実にする

ポイント テスターで確認する

②後従輪枠後部がドローバー止めネジに接触してショート

ポイント 従輪の引張バネの制御と絶縁化

⑤ドローバー自身がシャーシに振れないように熱収縮チューブで覆う

ポイント 本体側根元まで覆う

③ネジ部の絶縁ブッシュが割れ、ラグ板が接触ショート

ポイント 取り付け部構成材の絶縁チェックを確実にする

⑥直線⇒600mmR通過時にショートがないか確認して復帰

ポイント 8の字カーブでも確認

〔2〕Nゲージ系

①Nゲージ海外M2社製4-6-6-4大型蒸機の連結部落下損傷

ポイント テスターで絶縁確認

②通電ドローバー絶縁固定部の修復。ネジ止めとシャーシの接触
不具合を確認

ポイント 絶縁ブッシュの再生化

③通電走行をカーブでも行っても通電不良しないことを確認

ポイント 連続走行できることの確認

（6）ショート（小型車輛でありがちな不具合対策）

①HO/4-8-8-4海外蒸機のドローバーショート

ポイント 絶縁ブッシュの交換

②本体屋根とテンダー本体がカーブでショート

ポイント ドローバー位置の修正、又はショート部のテープ絶縁

③第2動輪がショートしており交換要

ポイント 交換できない場合は車輪踏輪自体も削って絶縁する

（7）その他

Nゲージ系C62ゴムタイヤの交換
ピンを慎重に外して所定のゴム輪を嵌める

<電機、ディーゼル機、電車>

	不具合箇所	原因	修復
電機、ディーゼル機関車、電車	HO系；モーター（縦型）	整流子・ブラシ摩耗・接触不良、汚れ、軸の錆びつき	カーボン汚れ、詰まりの除去・洗浄。稀にコイル線ハンダ部切れがある
	N:小型モーター（横型）	整流子・ブラシ摩耗・接触不良、汚れ、端子接触不良	カーボン汚れ、詰まりの除去・洗浄、酷い場合は交換。端子磨き出し
	ウオームギヤ	インサイドギヤ取り付け部との位置決め不適、空回り	ネジ締めにて位置調整。金属製ではグリス注油
	ギヤ系	HO系；インサイドギヤの連動ギヤ噛み合わせ不良	位置調整。軸部を貫通するチャンネル部の角度調整
		N；プラ製が多く軸嵌め込み部の緩み、ギヤ割れ	多くの場合修復不能で交換する。プラ製では割れ多い
	動力伝達部	両軸駆動の場合、HO系、Nともにゴムジョイントやユニバーサルジョイントの外れ、折損。プラスチック製台車のセンターピン折損や外れ	台車は左右に大きく振れると外れやすい。嵌め直しまたは所定の形状のものと交換する。プラスチック製では割れピン状のフックが折損することが多いが代替がない場合は棒材を溶かして再生する
	通電部	・リード線やリン青銅接触端子の接触不良や腐食で通電しなくて動かない ・両側の車輪〜台車〜台車枠を通じてのからの通電ができてなくてモーターが回らない	リード線の交換、再ハンダ。リン青銅線の耐水ペーパーや除錆剤で錆を取る。 車輪軸両端と台車枠接触部・台車枠と床板接続部を溶剤や接点洗浄剤でクリーニングする。特にピボット軸で通電するのは点接触になるので好ましくない
旧型電機	2-C-C-2型デッキ付き電機など	台車間又は台車と本体支持部の絶縁不良が、特にカーブ走行時に起きショートする	緩んで組立て精度が落ちてくる、絶縁部材の劣化などで生ずるので調整又は絶縁部材の交換を行う

表2　電機、ディーゼル機、電車の不具合箇所

機関車は、まずHOゲージ系では全輪駆動型が多いので縦型2個モーター使いでは片方の台車だけ動きますが、もう片方が上記原因で動かない等による不具合が多いです。インサイドギヤ自身が故障することは稀でほとんどがウオームギヤの噛み合わせ不全、摩耗によります。

また横型モーター仕様の場合はHOゲージ系、Nゲージともに中央にモーターを据え、両側の台車軸にゴムジョイント、スプリングジョイントやユニバーサルジョイントで台車上に固定されているウオームギヤに伝達する方法が多く、この場合ジョイント系の不具合で動かないことが多いです。

一方、台車内の連動ギヤ、多くはプラスチック製で、この場合、ひび割れが入ってギヤピッチが狂い、噛み合わなくて走らなくなる致命的な欠陥となります。

再生が難しく台車ユニットごとに交換するのが良いでしょう。海外製の車輛では部品も手に入りにくく他の車輛からいわゆる"部品取りする"とかで凌ぐことが多いです。あまり力の掛からないギヤ部であれば樹脂型でレプリカを作って複製することも稀に行います。金属製の場合は専門のギヤメーカーに特注して作ってもらえるか問い合わせると良いでしょう。

なお、プラスチックギヤは多くの場合ポリアセタール（POM）樹脂かナイロン66樹脂で形成されることが多く、注油する際は、石油系の機械油では割れや緩みを促進してしまうことがあるので使用せず、模型用で販売されている精密油やグリスを用いることが予防になります。

蒸機の部でも説明しましたがNゲージ電機・ディーゼル機でも台枠にアルミニウムや亜鉛、アンチモン金属を主材としたダイキャストシャーシ・台枠を用いた機種を国内外問わず多く見られます。

これは、左右に分割し、①モーター固定、②駆動系の位置決め・固定、③レール方の通電経路を兼用する、④ライトガイド兼用、⑤駆動台車の固定、⑥ウエイト、など多くの目的を兼ねて形成され多目的用途には都合の良い部材です。そのためかなり精巧な寸法精度で形成されているのでこれが経時劣化で割れたり、膨らんだりすると走行系に大きな影響を与えます。初期のダイキャスト成形品は溶融した金属からの脱気や粒子間密度が不十分（粒間腐食）でこれがもとに膨潤する、水酸化亜鉛や水酸化アルミニウムの白色粉上に酸化腐食してボロボロになっていきます。

1960-1980年代の製品に多く発生しているように感じますが、どの時代のものでもゲージに拘らず走行後にこまめに主要部分のクリーニングメンテナンスすることが一番の予防になると思います。特に長編成でスピードを出し気味な電車では尚更で長時間走行した後は必須です。

保管も湿気の多い押し入れや、クローゼットなど密閉性の良い場所に仕舞っておくのも考え物で換気にも気配りしたいところです。

図23　HO系/Nゲージ　電機、ディーゼル機、電車での修復順序例
（1）モーター周辺（縦型モーターから横型ユニットギヤへの換装）

①HO系/EF81の縦型2モーター車輌を横型ユニットギヤに換装した例

ポイント 横型ユニットのサイズ選定

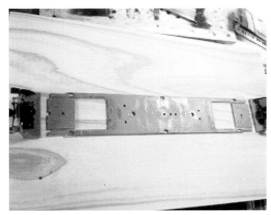

②床板の改造。"MPギヤーユニット"の上部と床板がぶつからないよう、床板両前部を切り取り、その内側を切り取る。台車前部を切り出す

ポイント 車体収納サイズを見積もること

③加工後。台車中心を取り付けるための真鍮板を別の1mm厚20mm幅の真鍮板から切り出し、床板とツライチにして十分なハンダ付けを行った

ポイント 重量負荷を十分考慮すること

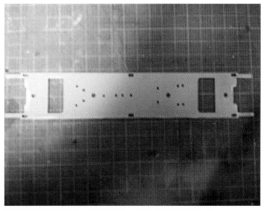

④両端の床板部分へ凹状に削った後、灰色塗装をした

ポイント 台車の回転により、床板とショートしないように

⑤ユニバーサルジョイントの組立てと長さ調整を行い、750mmRカーブを曲がれることも確認しながら組み上げた

ポイント カーブで接触しないか上下・回転方向を確認する

⑥完成動作を確認する

ポイント カーブ・ポイントでの通過確認

（2）駆動ギヤ周辺の修復例

①HO/ED25の駆動ギヤ不動

ポイント 噛み合わせ調整

②ウォームギヤ噛み合わせと連動ギヤ位置調整・給油

ポイント 位置決めと汚れ洗浄

③低電圧より回転を取り戻した

ポイント 適正なグリスと量

（3）動力伝達部の修復順序例（HO EF15/EB58の2例）

①HO/EF15駆動部軸ジョイントボックスが過度の回転

ポイント ギヤ駆動部は分解する際に、戻す手順を撮影すること

②そのため、台車間ジョイントギヤボックスが破損した

ポイント エンプラ樹脂なので再生難しいABSなどは不可

③代替品がないので接着剤と熱溶融により修復した

ポイント 真鍮管を旋盤加工するのがベスト

①HO初期の旧型EB58の再生

ポイント 不具合部分の事実確認

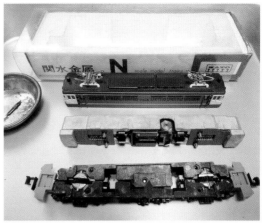

①N/EF65 アルミ製台枠の錆による通電不具合

ポイント 関係部品も外して洗浄

②ギヤに埃がグリスと共に噛みこんで回転を阻害している。モーター整流子汚れも大

ポイント 溶剤により全洗浄

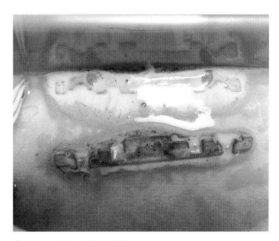

②両台枠の酸洗浄（希塩酸）

ポイント 表面洗浄して十分乾燥

③全分解して集電部汚れもクリーニングし、塗装もし直し復帰した

ポイント 通電駆動部の接触調整

洗浄後の構成部品で復帰

ポイント 周辺通電部も洗浄する

（5）ショート発生部例（EF56/57台車間発生例とクロコダイル車の修復順序例）

①HO系EF56台車と車体付属物間のショートで旧型に多い

ポイント 接触箇所の特定化

①12mmゲージ東欧製のクロコダイルで車輪押さえ板が変形

ポイント ボロボロになっているので慎重に外す

②台車間と空気ダメ部品が接触し、ショートするので絶縁テープで保護した

ポイント プラ製の空気ダメ要

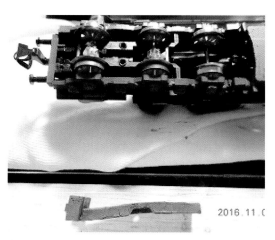

②ギヤボックスのアルミ製裏蓋が変形して、腐食している

ポイント 変形状態から修復するか再生するか検討する

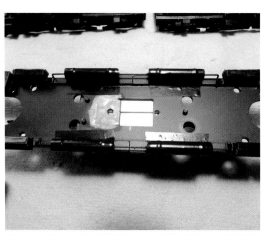

③EF57では空気ダメ内側を削ってから塗装・絶縁テープを貼付しなければならない

ポイント 外観を損なわないように

③内部は腐食が進んでいないので研磨して反りを修正した

ポイント 研磨する前にエポキシ樹脂を浸潤固化して形状保持

7.2 集電・通電経路部（蒸機ではテンダー側集電）

現在主流のNゲージでは、弾力のある、薄いABSやスチロール系樹脂などを用いたプラスチックで車体やディティール、連結器を射出成型で作られています。その効果を利

HO系通電経路

例1

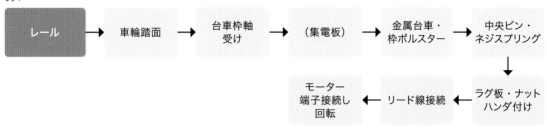

例2

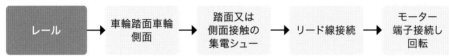

Nゲージ系通電経路

例1

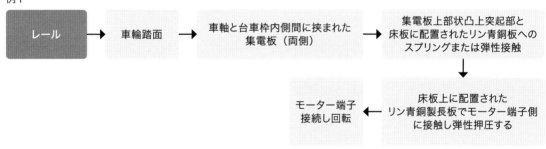

テンダー蒸機等通電経路

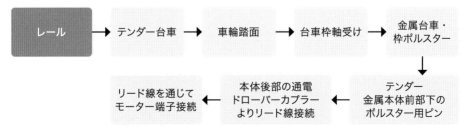

図24　通電経路チャート

用して、また車輪から集電板を通じてリン青銅製のバネや板材の弾性応力で接触を通じて、同じくモーターの両極端子にバネ性接触して通電し回転させる方式となっています。ほとんどがハンダ付け接点を用いない構造が多く、メーカーでの組立ての容易性、ユーザーでの室内灯などのアクセサリー組み込みの容易性を生み出しています。

　反面、走行後のメンテナンスや保管状況によっては接触接点が綿屑を巻き込んで汚れたり、古いオイルが固化したり、腐食して通電が不安定になって走行がギクシャクすることが多く見受けられます。修理依頼を受ける中ではこれらが主因となることがほとんどです。HO ゲージ系では蒸機系を除き初期のころから多く用いられているインサイドギヤを用いた機構・通電系と横型モーターで両軸駆動を用いた機構通電系の大きく分けて2種類あります。

　その例をP44図23（5）①〜③に示します。

　テンダー型蒸機ではその多くは、本体側だけで両極を集電するにはディティールが混み入っていてカーブを曲がるときなどで絶縁を得るのが厳しいので、テンダー側の台車車輪からテンダーと本体を繋ぐドローバーを通じて本体側のモーターの片極に通電するのが一般的です。

　もっともその煩雑さを避けるために「テンダードライブ」という方法の車輌もあります。この場合の不具合は電車型と同様になります。

7.3　ライト系（電球・LED）

　この項も HO ゲージ系 /N ゲージ問わず修理依頼の多い項目です。

　修理依頼をいただく製品では長い年代を跨いだ品種が国内海外製問わず多く、まだまだ電球型が多いです。しかし蛍光灯形状の電球

図25　（1）HOゲージ系台車、2軸駆動車の通電不良修復順序例

①通電不良の洗浄を、溶剤、除錆剤、接点復活剤で行ったがそれでも不安定

ポイント 通電経路の錆・汚れ除去

②ピボット車輪では汚れると通電不安定となるので集電シューを追加取り付けした

ポイント 「T型台車集電板」を利用

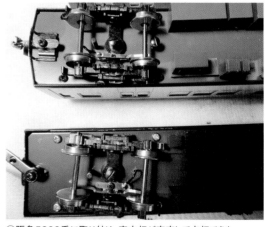

③阪急5300系に取り付け、室内灯が安定して点灯できた

ポイント 「軸受けメタル」交換も良い

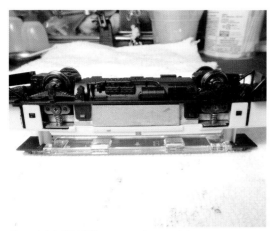

①HO系南部縦貫鉄道キハ10のギクシャク走行

ポイント 通電不具合場所の特定

（2）Nゲージ集電シューの不具合修復順序例

①Nゲージ海外A社製Aveの集電シュー折損

ポイント ハンダ付け前の除錆洗浄

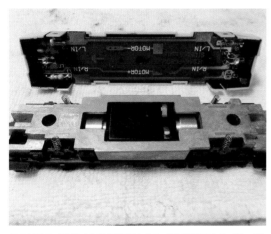

②4か所のバネ接点と基板部が変色して導通阻害あり、外して除錆洗浄する

ポイント 関連箇所も洗浄する

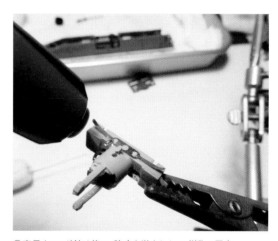

②素早くハンダ付け後に、強度を増すためUV樹脂で固定

ポイント プラ製構造部を溶かさないこと

③組み直し後、レール上で動作と点灯確認して復帰

ポイント 低速での走行確認

③組み上げて試走し、復旧の確認をする

ポイント テスターで車輪が左右しても導通していることの確認

型室内灯や尖頭形のテールライト用など形状によってはすでに生産が廃止されて、今や1、2社製の直径3mmφ×5mm長くらいの米粒球くらいしか入手できません。

海外製に多い後部に金属キャップが付いたソケット型のリードレスタイプなどでは全く入手できなくなっています。

実際の修理では"使いまわし"や"部品取り"して交換するしかない状況が増えています。点灯方向切り替えには、1960年代ころは、使いやすい整流ダイオードがなかったのでまだまだセレン式整流器が現役であったりします。従って今は"ウォームホワイト（電球色、電灯色や暖色）"と呼ばれる発光ダイドーキットの「LED＋抵抗器＋整流ダイオード（逆方向電圧保護）」で置き換える方向でお勧めしています。

右上の図「図26　LED回路」に示したように、電源電圧をE、LEDの順方向電圧をVf、LEDに流したい電流をIfとすると、必要な電流制限抵抗の抵抗Rは次式で計算できます。

R＝(E － Vf)/If オーム

LEDの順方向電圧VfはLEDのデータシート等で確認できます。

また、LEDに流したい電流IfはLEDの最大定格を超えない数値で設定します。

モールド型、チップ型や白色、電球色、赤色などの種類によって異なりますが、電源電圧Eは12VDC以下ですから、LEDのVf；1.7〜3.2V、If；5〜20mAになりますので制限抵抗としては470オームから2Kオーム程度になります。好みの明るさを設定しましょう。例えば2個ヘッドライトや2個のテールライトでは直列に接続して使用することもできます。逆耐圧が低いLEDもあるので上記回路内で直列に保護ダイオードを入れておく

図26　LED回路

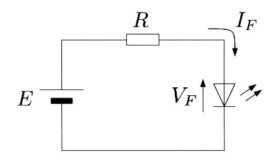

と安心です。くれぐれも直接接続しないでください。

また、定電流ダイオード（CRD）を用いてLEDを点灯させる方法も適宜利用しています。これは抵抗の代わりに同じようにLEDと直列にCRDを接続して電流制御する方式で、鉄道模型ではIf値5.6mA〜20mAのものが使用できます。これもショート対策のために保護ダイオードを直列に付けることをお勧めします。チップ型LEDと組み合わせ点灯ユニットも販売されていますので交換もしやすくなっています。

加えてHOゲージ系、Nゲージ問わずヘッドライトユニットや室内灯ユニットが透明アクリル樹脂製のライトガイド付きで販売されているので便利です。LEDチップが整列したテーピングタイプも使いやすいです。それぞれの車輌製品メーカー推奨の組み合わせで用いると良いです。

これらには"ちらつき"防止用のコンデンサも内蔵されているので編成運転では見映えがします。

既存の車輌で電球やLEDの"ちらつき"を防ぐには電気二重層キャパシタが用いられると良いのですが簡易的にはセラミック製など無極性で、数μF(マイクロファラッド)、耐圧25V以上のコンデンサを2極間に取り付

けるとかなり改善されます。

　間々あるのですが、例えばヘッドライトが前進しているときに点灯していて、最後尾のヘッドライトが"ちらちら"と点灯することがあります。周囲を真っ暗にして夜間走行を楽しんでいるとこれが気になる方も多いでしょう。

　この理由は、モーター回転の逆起電力が過渡にパルス的なノイズを発生し、整流ダイオードを通過して点滅することが多いようです。これを防ぐためには抵抗×コンデンサでCRフィルタを構成して挿入するとかなり防げます。ちょっと専門的になりますが、いわば保護回路である「スナバ回路」の一種でノイズフィルタを構成することになります。興味のある方は、詳しくは電子回路の実務本を参照ください。

　そしてDCCのデコーダ経由でLED接続（青と黄・白線）する場合は、多くの場合電球に供給する電圧が印加されますので必ずデコーダの説明書に記載されている抵抗を直列に接続することに注意ください。

　この部位に関連して、ヘッドライトカバーや導光管（ライトガイド）を3mmφ前後のアクリル棒から旋盤やドリルチャックに挟んで削って作成して設けることも少なくありません。

　また、図27（4）①〜③アクセサリー例のようにUSA型「チャレンジャー」や「ビッグボーイ」などのような2シリンダー型の大型蒸機の両サイドに"点検灯"を取り付けるなどの付加加工を依頼してきて楽しまれている方もおられます。なかなか勇壮な外観となるアイデアです。

図27　電球・LEDの修復順序例
（1）電球型

①HO系0系先頭車での照明・室内灯の不点灯
ポイント　不点灯が電球切れか断線かなど他にあるか明確にする

②電球・セレン整流器の交換と車体と床板通電接点のクリーニング
ポイント　セレンは中央端子が共通で代替ない場合は整流ダイオード2個と交換する

③先頭・室内灯に反射アルミ箔を付け輝度を復活させる。室内灯が切れている場合は米粒球を白く塗って代用する
ポイント　室内に均一に明るくなるようにアルミ反射フィルムを貼って明るくする

(2)HO系LED化の2種類の交換順序例(EF66、名鉄モ510)

①電球型ライトをLED化する。4か所をまず取り外す

ポイント 形状と線長を確認する

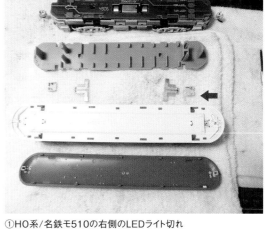

①HO系/名鉄モ510の右側のLEDライト切れ

ポイント フック組み込みを外す

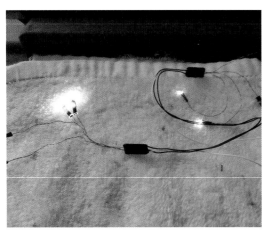

②4灯型定電流型LEDユニットを用いて換装する。熱収縮チューブ
や黒樹脂で覆う

ポイント LED光漏れを防ぐ

②電球色ではなく特殊な黄色のLEDで制限抵抗に注意要

ポイント 指定LEDユニットの選定

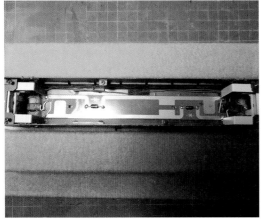

③基板などは従来の基板を流用して接続し運転室天面に収納する

ポイント 下回りを収納できること

③組み込み、修復完成

ポイント 反対側を参考に組み込む

（3）Nゲージ系LED化で定電流ダイオード(CRD)を用いた例

①N/115系先頭車の電球をLED化する

ポイント 形状と配線の確認。ヘッドライト・テールライト位置関係を把握する

②ライトガイドとの位置関係を把握する

ポイント 各LED組み込みとの位置相関を調整する

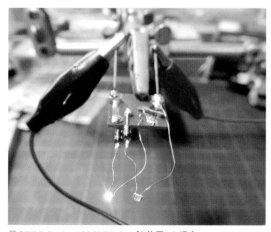

③CRD5.6mA、1608LEDチップを使用した場合

ポイント LEDの電流値によりCRDを15mA又は5.6mAを選択する

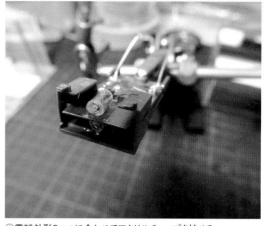

④電球外形3mmφに合わせてアクリルチューブを被せる

ポイント 車体に収まる寸法確認

⑤線路上で動作を確認する

ポイント 両方のLED面の調整

⑥完成品で点灯状態を確認する

ポイント 漏れ光がないかをチェック

（4）LEDアクセサリー例（ビッグボーイ点検灯を両サイドに取り付ける）

①HO/DCCビッグボーイのランボード下に点検灯LEDを取り付ける

ポイント 取り付け位置と配線を事前に決める

②実物写真を参考に加工したチップLEDを配置・固定し、DCC基板に接続する

ポイント チップLEDの絶縁・遮光加工をしておく

③運転台照明配線を共用する。デコーダでの接続箇所を確実にする

ポイント 接続時に制限抵抗の必要有無を確認する

（5）レンズ加工（ヘッドライトレンズを作成する）

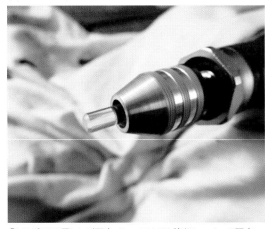

①HO系D51用レンズ再生、3mmφアクリル棒をリューターで研磨

ポイント #240～順次削って整形

②厚みを0.5～1.0mm程度に輪切りし、面を#3000～でポリッシュ研磨する

ポイント 水性研磨剤を使う

ヘッドライト筒に嵌め込む

ポイント 外側・内側の曲率を確認

7.4　構造系の破損・折損・再生

修理依頼の内容で車輌構造物に係るものは、
①連結器（カプラー）の不具合、脱落・交換
②車輌落下による車体の凹み、台車・駆動系
　関係の歪み、センターピンの折損による走
　行不具合
③パンタグラフ、屋根上の高圧機器・配線な
　ど外観ディティールの破損、損失
④窓ガラスの汚れ、キズ
が多いです。

　①；走行中に脱線・落下したり、編成列車
から連結器を外すときに痛めたり、また説明
書通りに外さないでねじってしまったりして
不具合に至るケースが多く、最近はメーカー
各社とも精密に成形されたプラスチックでで
きているので尚更です。メーカーが同じでも
発売年によっても大きく変わってきたりして
いるので、実車感がある部分だけに取り扱い
に注意が必要です。

　Ｎゲージ系ではほとんどがユニット化され
ているのでユニットごと交換することが原則
となりますし、各メーカーとも別売パーツと
して販売されていますので比較的容易ですが、
すでに販売を終えている製品では部分修復し
て再生するか、部品取りを行うことになりま
す。当初はNMRA型とかX2Fとか言われ
るカプラーでスタートしましたが、走行を楽
しむユーザーとしては海外製も使用できる実
用的なアーノルド形の方が年代に拘らず取り
扱いやすいのでありがたいです。一方、車輌
の時代に合わせて実物感としては自動連結器
（自連、ナックル）形、密着連結器（密連）形、
密着自動連結器形およびその疑似形を採用さ
れることが多くなっています。

　ＨＯゲージ系では伝統的なベーカー形、欧
米型でも同様なループ（ブラケット）形カプ
ラー、ユニバーサルカプラーが用いられてき

①図28　連結器の修復例
（1）ＨＯゲージ系

①EF58の先従輪に取り付けられているベーカーを外す

②該当機種番号のケーディー型に交換する。高さはそのままで良い
▶EF58のベーカー型よりグローブ形への変更前後
ポイント　カプラーポケット形状が合致する品番の選定

①海外型カプラーの交換で爪状のフックを外す

②新規品をカプラー穴に押し込んでフックに引っ掛ける
▶海外Ｂ社製電機のカプラー外れで組み直して挿入し復活
ポイント　メーカーごとに該当種類を確認する

ましたが最近ではケーディー(Kadee社)カ
プラーが主流となっています。

　このカプラーは磁石を組み込んだ"マグネ
チックタイプ"の自動開放機能付きも特徴と
なっています。グローブ（ナックル）形でど
の車輌にも違和感がない形状となっており各
メーカーもこのカプラーに合わせて連結高さ
や位置を決めている車輌が多いです。

　また、固定編成の車輌では中間車には"ド
ローバー形"と呼ばれる細長い平棒状の簡易
型のカプラーも長く多用されています。これ
はあまり取り外しをしないので片側を前もっ
て固定されて双方にある突起部に穴部を挿し
込むことで連結できるタイプで、長きにわ
たって利用されています。

　一方、Nゲージと同じようにプラスチック
成型技術で精巧な構造もできるようになった
ことで各メーカーともオリジナルなカプラー
も増えてきました。材質も改良されています。

　HOゲージ系では本体から外れる、引っ掛
ける部分が変形して連結できない、折損する、
取り付け部が緩んで固定できない、カプラー
位置の復元バネが飛んでしまう、などの不具
合が多いですがやはりカプラーユニットごと
交換することが端的で確実です。特殊なカプ
ラーは補修することや、自作して補完するこ
とも多々あります。

　Nゲージ系、HOゲージ系のいずれも種類
が多いので模型店に行って種類を説明して別
売品を入手すればほとんどの場合自分で交
換・修復できます。

　②；長いこと走行させて楽しんでいるとい
ろいろなトラブルに見舞われます。走行中に
高架線路から脱線して落下、あるいは取り扱
い中に誤って落下させ、外観が凹む、塗装が
剥がれる、台車が外れる、ディティール部品

（2）Nゲージ系

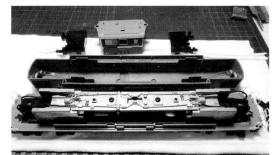

①DD51連結器破損し、車体を傷つけないように取り外す

②カプラーをピンに挿し込みスカートに挟んで床板にフックで引っ掛ける
▶K1社製カプラーの交換例
ポイント　スカート共に組み込む

①205系連結器破損し先端部だけ他の同型台車に接合する交換

②材質が異なることが多いのでまず瞬間接着剤で仮止めし、位置決
めできたら溶かす
▶N/NEXのメーカー間の車輌を連結するため取り付け。溶融
樹脂にて接合した例
ポイント　ハンダごての温度を下げて接着部を溶融する（150-
160℃くらい）

が折損するなどなどゲージに拘らず生じます。特にお子さんたちではスピード競争してあたかもレーシングカーのように走らせるとスピードを出しすぎこのような痛い目が多々起きます。

　交換部品が入手できる場合、元に戻すのは比較的容易ですが、年代を経た車輌はまず無理なので代替手段で修復するしかありません。金属製は、一旦塗装を剥がして修復し再塗装するなどで直すことになりますが、プラスチック製の昨今の緻密な金型技術で作られた部分が折損すると修復は容易でなくなります。プラスチックを溶融して繋ぎ合わせるとか、不要のライナー材を流用して溶かして再生するなどで再生します。

　接着剤も進歩しています。耐衝撃瞬間接着剤、シリコンゴム系ハード接着剤、耐熱性2液性エポキシ接着剤、そして405nmの紫外線を照射して硬化させるＵＶ接着剤や溶剤を利用する溶融固着接着剤などの優れた接着・成型剤も入手できますのでこれらを組み合わせてかなり強度を保って再生することもできるようになってきました。

　駆動用台車のセンターピンが折れた場合などではプラスチック製中心ピンの中央に穴を開け、鉄や真鍮線の周りに接着剤を付けてから埋め込んで繋ぎ合わせるのも良い手立てです。

　意外とゲージに拘らず修理依頼で多いのは"落下"させて車体を凹ませた、塗装が剥がれた、あるいは傷を付けてしまった、他の加工をしているときに誤って車体の一部に接着剤を垂らしてしまい外観を損ねた、ライトが点灯しなくなった、ディティールを破損したなどのトラブルです。本人の落胆も大きいようです。

　この場合の修理・補修方法は材質や場所、破損状況が各々異なりますので千差万別です

が、いろいろな知識を働かせて組み合わせて修復することになります。そしてその前段階で該当部分以外を分解して外し、二次災害を

②図29　構造部の補修例
（1）落下して凹んだ車体の補修例

①HOゲージ系／ED79落下して庇が変形した例
ポイント 損傷部をまず平面小型ペンチ等で外観を整形する

②プライマー等でじっくり整形⇒パテ埋め後整形
ポイント じっくりと整形して面出し3方向より歪みを正す

③プライマー⇒スカイブルー系塗装して修正完了
ポイント この場合コキ貨車用ブルーを少し混ぜて色調補正する

起こさないように保護する作業を十分してから行わないといけません。

　あまり専門的な工具は使用せず、簡単な治具を作って再生しています。例えば落下して真鍮製車体を凹ませた場合は、凹んだ部分に合わせた形状の木型を作り、それで叩き出してある程度元に戻す。そしてその後パテやサーフェーサーで盛り上げた後、十分乾燥させてから#240-400-600-1200くらいのきめの細かさの耐水ペーパーを2種類ほど選び、角材などに取り付けて順次平面出しをしていきます。面一（ツライチ）が出ているかわかりにくくなりますので慎重に行います。そして十分に乾燥させてから塗装を行って復旧させます。プラスチック製車体でも基本的には同

様の手順となりますが基本的にはアクリル系のパテやサーフェーサーなどの補修剤や塗料を用います。

　不具合場所によっては事前に全部塗装を剥がしたほうが良い場合もあります。

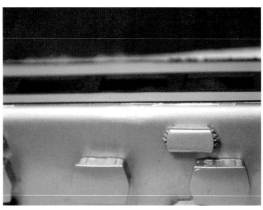
③該当部にパテを塗り、乾燥後耐水ペーパーで丁寧に面出しする
ポイント きちんと曲面を周囲に合わせて整形する

①HOゲージ系157系真鍮一体製屋根の凹み部を修復した例
ポイント この場合は部分塗装して修復したので部分の保護要

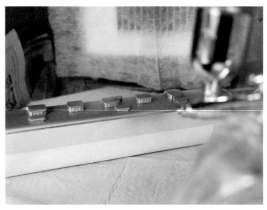
④マスキング後、銀色ぼかしをエアーブラシで行う
ポイント 事前に銀色の色合わせをして離し気味で吹き付ける

②内側からRを付けた木片による打出し整形を少しずつ行う
ポイント 塗装面を痛めないように土台にゴム粘度等を敷く

⑤非修復部との凹凸有無・色合わせを目視確認する
ポイント 艶合わせを、半光沢トップコートして調整する

(2) 台車周辺部・支持部の修復手順例

①HOゲージ系/旧EF58の台車枠折損例。すでに接着の跡が見られた

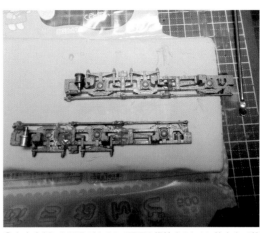

④台車内側にも凹凸があるので平面を維持するために粘土上で繋ぎ、面出しする

②駆動部もアルミ腐食による折損でバラバラ、代替部品無し

⑤耐衝撃性瞬間接着剤やエポキシ接着剤で硬化する。小箇所では裏側に真鍮板を添えて

③一部接着剤で接続されていたが全て洗浄して剥がす。酸処理

⑥十分硬化後、外観を整形し、水性エナメル塗料で着色する。テスト走行して部分調整し、復帰した

（3）その他外観部等の補修例（ハンダ補修、ダイキャスト部品の変形補修例）

①HOゲージ系C58のデフ板剥がれ例

ポイント 他のハンダ補修箇所もあれば同時に修復する

②フラックスを引いてハンダ付け。流すように回す

ポイント コテは60W以上で十分余熱後ハンダを回す

③塗装を剥がし、再塗装して元の姿に復帰した

ポイント 補修部はキサゲ等でしっかり面出しする

　床下の台車周りや機構部、アクセサリーの折損、破損、欠落も結構多いです。これも千差万別ですがまずは走行に致命傷となる構造部の修復が中心となります。

　例えばHOゲージ系ではボルスターセンターピンの破損、折損そしてHOゲージ系／Nゲージのプラスチック製では、台車と床板に嵌め込まれている割ピン状の取り付け部が折れて固定できなかったり、動力車ではモーターからの動力が伝達できなくなったりします。なお、最近の車体は"スナップフィット"と呼ばれる精度の高い嵌合がされていて外すのも容易でなかったりしますので慎重な扱いが必要です。

　金属製の場合は汎用部品を入手して交換するのが手っ取り早いですが、プラスチック製では交換部品はまずないので難儀します。少し慣れた方なら余ったABSやスチロール樹脂製ライナーを使って、ハンダごての温度を温度制御器を繋げて少し下げて溶融し、繋ぎ合わせ、その後整形する、といった方法で再生することができます。

　ダイカスト製の部品の反りによる折損修復は難しく、耐衝撃性の瞬間接着剤で繋ぎ合わせた後に薄い真鍮板を貼り合わせるとか、エポキシ樹脂系で補強して面出しすることになります。

　③；昨今のパンタグラフはとても精巧にできており実物感がある一方高価になっています。国鉄時代に多く使用されていたPS14、16などでは初期のものはハンダ付け等で再生することができますが、外観に見合う精度の製品で交換するのが好ましいでしょう。車輌の経歴と見合わせてアンバランスにならないようにしておきたいものです。

①N/EF57の屋上機器一体ダイキャスト製が凸状に膨潤した例

ポイント 樹脂でレプリカ成形できないかも検討する

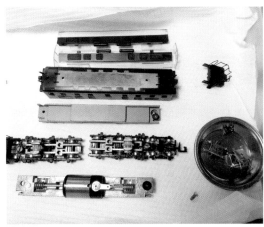

②ギヤ部にも異常あるがシャーシ部ダイキャスト成型部は使用可能範囲の変形

ポイント 他の同様な膨潤部・断裂部がないか調べ、同時に修復する

③4分割し、屋根接着部の整形を行ってエポキシ樹脂で接着し、更に成形して塗装する

ポイント この部分は外観重視で修復する

図30　パンタグラフ補修例
（4）パンタグラフ

①HO/R1社製BRE91　パンタシューが欠損している例

ポイント 片方は整形、もう片方を再生する

②0.2mmt洋白板から糸鋸刃で切り出し、整形する

ポイント 1.0mmドリル穴あけ⇒#3程度の糸鋸刃⇒精密ヤスリ

③CC型ロッド式電気外観の復帰

ポイント 海外型はパンタより通電可能なのでハンダ付けも考慮する

交流・交直電機での屋根上高圧配線は変色したり外れたりします。外観的には影響が大きいので美しく復元しておきたい箇所です。この銅線は除錆剤を刷毛で塗るなどして除錆し、その後水洗いすると綺麗になります。除錆剤は塩酸系だと垂れたりして他にダメージを与える恐れがあるのでここでは銅箔プリント回路基板を除錆するときに用いる有機リン酸系液を用いると安全です。

この液は集電シューなどに用いられる、リン青銅板の洗浄にも有益です。私は、「ラストリムーバー（呉工業製）」や「ハヤトブライトEX（サンハヤト製）」などを重宝しています。

そして碍子上部のネジなどにハンダや接着剤で固定します。更に洗浄した後、光沢を見定めてクリアー塗料でトップコートしておきます。

④：窓ガラスの汚れは、車体が金属製の車輌で塩ビシート製のものは交換で済みますが、プラスチック製に多い位置決め成型された透明アクリル窓ガラスは厄介です。

この場合、ユニット化されたアクリルガラスを取り外し、ダメージの箇所以外をマスキングして保護した後、非溶剤系の研磨剤で根気よく磨き出しをすることになります。

例えば、シンナーや接着剤を垂らして曇ってしまった、誤ってキズを付けてしまった場合は、修復の流れとしては、#600くらいの水性研磨剤を綿棒やフェルト布に付けて満遍なく一律に研磨して面出しを行う。次に#1500-3000くらいで同様に研磨し透き通ってくるくらいまで行う。そして最後に研磨剤#8000ポリッシュ液で仕上げる。根気がいります。一部工程ではバフの付いたリューターで行うこともできます。またそれでも透明度

①片方のパンタが欠損したHOゲージ系/EF81例。旧型はPS17相当

ポイント 程度により置き換えるか部分修復できるか見極める

②新製品は精巧すぎて不似合いなのでキープ部品を用いてダミーを作成した

ポイント 旧製品が入手できない場合は両方とも交換する

③除錆洗浄、塗装をして再生した

ポイント 梁のフック部が直せるかが交換可否の判断事項となる

が戻らない場合はその部分だけを切除してスペア部品と切り繋ぐことになります。この場合でも幸い外観上はさほど目立ちません。

7.5　塗装……プラ製・金属製（詳細は第11章参照）

　これも多いトラブルで実際よくある修理依頼です。まずメーカーは引き受けてくれません。自身で補修するには塗料の種類・道具一つとってもハードルの高い作業にはなりますが、自分で仕上げられたら達成感は別格のものです。

　①取扱い中のトラブルによる塗装不具合

　金属、プラスチック製、ゲージに拘らず多いのは、走行中に脱線・転倒してキズ付けてしまった、またレイアウトから落下して車体の周囲面の塗装を剥がしてしまった、あるいは凹んでキズが長く付いてしまった、などです。

　更には、車輛のアクセサリーを取り付け中に誤って接着剤を垂らして塗装面を溶かしてしまったなどいろいろな原因で剥がしてしまうことがあります。

　修復の方法は、ダメージの大きさや場所によって異なりますが、ダメージを受けた部分周辺のみの"部分塗装修復"する場合と大きなダメージや目立つ場所での剥がれやキズは全面剥離して車体表面を洗浄後元の色に"全面塗装・塗分け"修復塗装する場合があります。部分塗装する場合は、経時変化で元の色が原色より少し変化している場合がありますので、市販の原色塗料に少し調合して色合わせが必要になります。また色だけではなく艶具合も見映えに大きく影響しますので事前の色合わせをすると良いでしょう。

　全面剥離・塗装の場合は、車体が金属製ですとシンナーに浸漬して剥がすか、非塩素系の剥離剤を用いることになります（塩素系は

図31　窓ガラス汚れ補修例

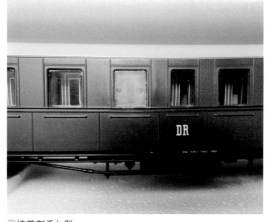

①接着剤垂れ例

ポイント　嵌め込み透明アクリル材か塩ビ板か見極める

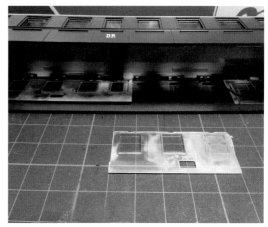

②濁った窓部を取り出し、水性研磨剤を用いて丹念に研磨する

ポイント　＃1200面出し⇒＃3000水性研磨剤で布磨き⇒＃8000仕上がり

③周囲の窓の透明度に合わせて研磨度合いを確認して嵌め戻す

ポイント　他の窓と同等の研磨面に仕上げる

剥離しやすいですが保護手袋をしても手の甲がヒリヒリしてきます）。

　プラスチック製の場合は、専用シンナー以外だと浸漬して溶ける・変形する・ひび割れるなどが起きるので使用を避け、替わって高濃度イソプロピルアルコール（IPA）を用いてゆっくり剥がすことになります。因みに薬局などで販売されている消毒用 IPA は60-70%と濃度が低く効果がありません。例えば自動車アクセサリー店などで扱われている、ガソリンの"水抜き剤"で添加物が含まれず90%以上の濃度の IPA は代用できます。

　プラスチック製の部分塗装では特に海外製塗装色の再現性が難しいです。色合いが独特ですね。まず本来の調色塗料を入手することは難しいので、多くの場合国内で市販されているアクリル塗料系を調合して疑似色を作ることになります。プロ用の測色器や調色計があればよいのですがモデラーには価格も高く、使用頻度も低いので購入するほどではないように思います。腕の見せ所ですね。塗分けについては別の章で詳しく記載します。

　　②新規に塗装する場合
　この場合は金属製・プラスチック製ともに、洗浄⇒プライマー塗装（サーフェーサー塗布。省略することも多い）⇒下地塗装⇒本塗装⇒（塗分け）⇒光沢調整・保護用トップコートの吹付塗装順で進めます。

　金属製蒸機の下回りでは、新たに黒塗装し直したりすると塗料厚みの影響で回転駆動系の動きがきつくなることがあるのでよく知られている工業用の"黒染め液（常温黒染剤（銅・真鍮・亜鉛用）トビカブラッキー、東美化学製など）"で代用するのも良いでしょう。詳しくは第11章で紹介します。

7.6　その他（バネ、アクセサリー類）

　走行上ではほとんど影響のない不具合・支障ではありますが、見映えでは気になる部分も多いところです。

　昨今では金属製は勿論、プラスチック製でも≦0.5mmφ程度の配管や突起物でも表現できているので半面損傷受けやすい箇所でもあります。

　金属製では HO ゲージ系では蒸機の外付けパーツの外れ、例えば蒸機だとデフ板根元の外れ、ヘッドライト、排障器、ロッド類回転保持部、屋上機器、各種手摺りなどで、欠損した場合でもパーツ自身はロストワックス専門メーカーのもので代替しやすいですが、これらをハンダ付け直しするとなると再塗装も結構厄介な部分塗装を伴うことになります。目立たない、力の掛からない場所であれば接着剤をうまく利用することになります。平面的な箇所であれば艶消しクリヤー塗料を接着剤代わりに用いると目立ちにくくなります。白く吹きにくい瞬間接着剤を針先に付けて微量で付けることも有効です。

　N ゲージ系ではほとんどがプラスチック製なので樹脂材料に合わせたスチロールや ABS、アクリル、塩ビなどの専用接着剤を用いることになりますが、構造物で"面"で接着できない箇所では造形用樹脂、塩化メチレン溶融アクリル成型材や UV 硬化型アクリル樹脂、2液性エポキシ接着剤などが役に立ちます。力が掛かる場所では USA 製の耐熱・耐衝撃性2液性エポキシは有用です。固化後、余分なエポキシを削って整形することができます。

　図32では HO ゲージ系旧タイプ真鍮製の DD13手摺りを修復した例です。曲がったり、折れたり、外れていたり、手直しした塗装がボテッとしたりしていると見苦しいので再生

しています。ちょっと手間ではありますが見
映えは格段に良くなります。

図32　アクセサリー修復例

①HOゲージ系DE10の手摺り現状

④ハンダ組み上げを行う

②これを作り直す。0.5mmφ洋白線

⑤洗浄後に塗装する

③ハンダ付け部分の除錆洗浄を行っておく

⑥組み上げて完成した

7.7　修復の難しい不具合・故障

　HO ゲージ系、N ゲージ系の金属製・プラスチック製に拘らず蒸気機関車の回転ロッド系とそれらを支持するクロスヘッドやモーションプレート部分の破損再生は困難を要します。

　また、全動力車でのウオームギヤとの噛み合わせが不十分でウオームホイール側のギヤ歯部の破損、軸支持部での割れによる空回り、ピッチズレによるギクシャク走行は極めて難度が高いです。

　まずギヤモジュールが同じものが見つからないことが多く、あった、あるいはギヤメーカーに特注して作ったとしても、例えば蒸機の動輪では車輪を一旦外して破損したギヤを引き抜き、新しいギヤを圧入する方法が多いですが、その際車輪回転位相差をしっかり出さねばならないので専用の治具を作るなどせねばならず困難を極めます。

　同機のジャンク品をオークションで探してギヤ部の部品取りして換装するにしても修復困難な事例です。

　ウオームギヤから車輪軸ギヤに伝達する連動ギヤの一部が破損しても同様のことになります。

　その点、電車や気動車などの2軸台車を用いて駆動する動力車では修復可能なことが多いです。

　経時的にシャーシにダイキャストを使用している製品は HO 系、N ゲージに拘らず酸化劣化して変形する、更にはボロボロになって崩れてしまうような状態ではまず修復不可能です。

　この場合は真鍮製で複製するしかないでしょうが、その周辺の部品も経時劣化しているのでシャーシ再生するにも現物合わせで行うことになり、何回かチャレンジしたことも

ありますが大変厄介です。諦める方が賢明なケースも多いです。その例を図33、34で紹介しています。

　また、"チャレンジャー"、"ビッグボーイ""マレー型"などゲージに拘らず2シリンダー型の大型蒸機やシェイ式、クライマックス式、ハスラー式などのピストンからの往復運動を、ベベルギヤなどを介して動輪に伝達する"ギヤードロコ"もギヤパーツの修復や交換部品の入手が困難なことから修復の難しい動力車となります。メーカー側での部品ごとの品質規格ガイドラインも欲しいところです。この例を図35、36で紹介しています。

　相当思い入れのある製品であれば静態保存することにして、同型の新製品を購入することの方が費用対効果も高いことになるでしょう。

図33　修復が難しいギヤ割れ例

①N/連動ギヤ割れ例1。ギクシャク走行か引っ掛かる走行となる

①Nゲージ/EF58のウオームホイールの割れ例3

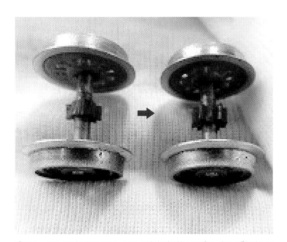

①12mmゲージ東欧製例2。ギヤが摩耗欠落して噛み合わず類似品で代替できた例

②部品取りするか、外して片側台車駆動することになる

②12mmゲージ東欧製C型蒸機のスポーク車輪が熱変形し空回りする

①HOゲージ系/EF71真鍮製ウオームホイール2か所とも割れで復帰不能例4

65

図34　連動ギヤの修復困難例（連動ギヤ破損例と修復）

①US B2社製4-8-2DCC蒸機の不動例5

①ギヤボックス内の連動ギヤの摩耗例

②ウオームギヤと噛み合っているダブルギヤ13枚側の一部が欠けていた

②シリコンゴム型による複製

③エポキシ製の複製ギヤ

③珍しく代替ギヤが輸入でき、入手できて交換できた例

④組み込んだ状態だが強度が不足する。熱可塑性樹脂が必要となる

図35　アメリカ型大型蒸機の修復例

①HO/ビッグボーイ ジョイント故障例1

②2段ともゴムジョイント部が腐食し交換できた例5

②2段のジョイントと連動ギヤ例2

③外れやすいユニバーサルジョイント調整例6

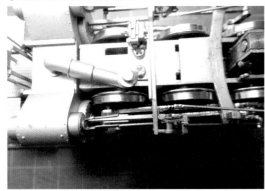

③クロスヘッドハンダ割れ修復例3

①N/4-6-6-4蒸機のスライドバー外れ例7

①HO/4-6-6-4蒸機の駆動部構造例4

②断面が"工"となってスライドするのだが、"⊥"状に上部分が欠けて外れていた

③②に1.2x3.0x0.3mmの洋白帯を接着補完してスライドできる
よう補修した

①N/Cab-Foward4-8-8-2ロッド脱落例6

②動輪の位相とロッドの左右位置関係を確認してハンダ止め

③力強い大型蒸機の復活した例

図36　HO/シェイギヤードロコの修復例

①ギヤ系の噛み、通電系切断された例7

②ギヤ部を部分分解してクリーニングし、少量のグリス注油

③復活してゆっくりと走行した。無茶な走行は厳禁!

図37　DCC車輌のアナログDC化とIC修復例

例①;高度なNゲージUSのA社製チャレンジャー無線式音声付
DCCの不具合2例

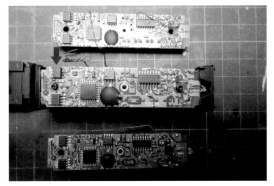

例②：矢印部のドライバー用
MOS FETが故障しTPC8407に交換して復旧した稀な例

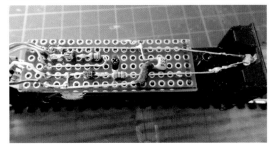

例③：国内では代替デコーダ入手難しく、アナログDC化した例

7.8　テスト走行用レイアウト例

　筆者は HO ゲージ系では過去の車輌の実力を踏まえて、特に D、E 型蒸機や C-C 軸配置の動力車が円滑に通過、走行できる曲線として、鉄道模型の普及初期に標準的とされていた 600mmR、750mmR、および "8" の字カーブ、4番ポイント、勾配は最大5%程度となるように設定した3.2m×2.0mのレイアウトを作成してテスト用に使用しています。

　これには、意図的に普及初期に販売されていたエンドウ製のレールを基本とし、少し状態が劣化しても走行できる条件を敢えて設定して試走し、動作チェックをしたいためです。

　鉄道模型普及初期には真鍮製のレールが中心でしたが、今では洋白ニッケル製がほとんどです。汚れや酸化しにくくメンテナンスがしやすい一方、真鍮に比し比抵抗が高いため電圧降下が起きやすいのでフィーダー線を増やすなどして低速での動作を更に安定させ

ます。

　特にポイント付近では比抵抗が大きい場所が多いようで給電箇所には相当配慮が必要です。

　このテストレイアウトでは敢えて旧式のエンドウ製金属道床を使った真鍮レールを中心に用い、こまめにクリーニングして走行させています。

　ご自宅で、床や畳の上で直接レールを組み立てます。楕円状にエンドレスに引き、これに幾つかのレールポイントを付け加えてフィーダー線により電源を供給して走行させるのが一般的です。このとき、エンドレスレール上に "絶縁ギャップ" を設けることが必要となります。各メーカーのレール規格をもとにレイアウトプランをしっかり立てて接続するとともに、絶縁ギャップの設け方を理解しておきましょう。

図38　テストレイアウト

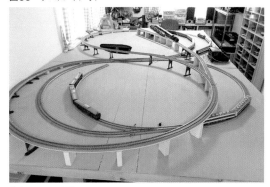

（1）HOゲージ系 3.2mx2.0m

（2）Nゲージ系 1.8mx0.9m

図39　HO系七尾線415-800系への改造例

①ベースとなる旧型113系を入手する

②縦型モーター駆動の内部構造で、今回は流用する。ライト関係はLED化する

③塗装を剥離して、先頭部のダイキャスト部の前照灯の形状を、5mm真鍮パイプを埋めて小型化する

④交直変換機器搭載部の屋根を切り取る

　Nゲージ系では、これも1980年代の旧TOMIX製のレールを用い、8の字ループを用いた複線の1.8m×0.9mレイアウトです。普段はジオラマレイアウトとして走行を楽しむとともにテストレイアウトとしても利用しています。

　これら以外にはメルクリン三線式HO線路を用いたり、Zゲージ用のテストラインを準備したりしています。

　GゲージのLGBではその都度600mmR、750mmRのポイント付き複線レールを敷いてテスト走行を行っています。

7.9　車輌改造例
（HO系七尾線415-800系、Nゲージ系521-100系、GゲージDB201改）

　ここでは現在地方暮らしして楽しんでいる、能登地方七尾線を走行していた415-800系（2022年3月引退）の実物と同じように113系からの改造した例（図39）と、入れ替わり入線した521-100系のNゲージ塗装変更例（図40）を紹介します。

　また、Gゲージでは旧加悦鉄道のDB201型ディーゼル機関車を1/24でボギー化して真鍮製で作成して楽しんだ例（図41）を紹介します。

⑤その部分に取付け穴を開け、平面化した屋根をハンダ付けする。その後整形しておく

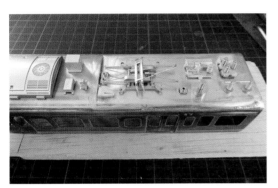

⑥エンドウ製屋上機器セットを活用して配置する

⑦継ぎ目段差などはパテやサーフェーサーで面出し加工後、除錆⇒脱脂洗浄する。その後、塗料密着性強くするプライマーを薄く吹き付け塗装した

⑧床下・台車周りもここでは流用して黒色吹付塗装する

⑨屋根は灰色1号、本体は長く褪色してローズピンクになっていたが当初は"茜色"だったので赤をベースに5色を用いて調色し吹付塗装⇒トップコートした

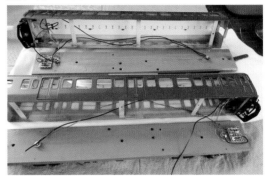

⑩内部も灰色1号塗装し、点灯系、室内灯にはチップLEDと5.6mA/CRDを用いて配線した。光漏れは黒シリコン樹脂で遮蔽する

⑪加工を終えた3輌の車体と床下周り。MPギヤ化は床板が木製なので今後金属化して加工したい

⑫完成した3輌編成車。雪の中を最高齢改装車が唸り音を上げて走る姿は壮観でした。市販品は今後も出ないでしょう

図40　Nゲージ 七尾線521-100系への改装例

KATO製521系3次車がベース。-100では配置が異なるが今後の発売に期待したい

ここでは青ライン⇒"茜色"ラインに変更し"赤"をベースに吹付塗装した

完成品。左側415系初期塗装自作品と、サンダーバードと並ぶ。七尾線羽咋駅での想定

図41　GゲージDB201のボギー化して作成

加悦鉄道DB201（島製作所製）の実物

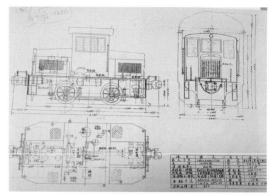

これを1/24 45mmゲージで全真鍮製にてボギー車として作成した

台車はレーマン製。トレーラー車仕様だが電動化を考案中

7.10　電源（パワーパック）

　初期のころの電源の多くはスライダック式トランスを用いた三線交流式のOゲージがスタートだったと思います。これにHOゲージ系の直流タップ式である、100VACから～12VACへの2A程度の容量の低圧トランス⇒全波整流のセレン式整流器⇒平滑コンデンサを通してシーメンスキーなどの極性切り替えスイッチを経てレールに直流電圧を供給するシンプルな構成だったのです。

　1970年代からはトランジスタ方式に切り替わっているものの基本性能は現在も変わっていません。ですが、今もセレン式は現役であることも多く、修理依頼があります。

7.10.1
図42　スライダック式抵抗制御型の修理例

①旧抵抗制御型パワーパックのスライダックの故障補修例

ポイント セレン整流器やシーメンスキー型スイッチ結線チェック

②巻き線抵抗のスライド部の接触不全が原因で押圧を調整

ポイント バネ圧を調整して巻き線とスライダーの抵抗を測定して調整する

③スライダー軸部側も締め付け具合を調整して接触を安定

ポイント スライド部汚れも接点洗浄剤でクリーニングする

7.10.2
図43　トランジスタ制御型の修理例

①ダイヤルノブの内側凹凸が擦り減っていたのでエポキシ接着剤で固定した

ポイント 回路そのものより機構部や結線部での故障が多い

②主因はスライダー抵抗制御巻き線の断線と固定部の緩み。その他LEDの外れがあって規定位置に修正した

ポイント 回路部の状態はテスターにて判断する

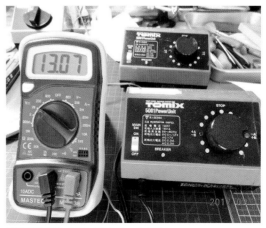

③電圧:正方向　　LED点灯＆ Max 13.35V
　　　逆方向　　LED点灯＆ Max 13.32V

ポイント テスターを用いて仕様の再現性の確認

7.11 縦型モーター駆動から横型モーター駆動ユニット換装例（HO系／カニ24動力化、0系新幹線）

先にも記しましたように、発生する音などのメカニックな問題、そして編成車では室内の装飾を整えるという実車のような内装を追及する需要も多くあったため半床下にモーターや機構部を設けて室内スペースを確保する設計方法が主力となってきました。モーターも缶型の高回転・高トルクのコアレスモーターも普及してきました。商品名としては"ACEギヤ（カツミ製）""MPギヤ（エンドウ製）などがあります。

ここでは電源車を横型モーターで動力車化する例と、0系新幹線の動力車に縦型モーター＋インサイドギヤの組み合わせから横型モーター＋車輪組み込み型ギヤに換装依頼を受けた例を紹介します。MPギヤを使う場合でしたら『MPギヤの使い方マニュアル』（エンドウ）が販売されているのでこれをよく読んで取り組むとより組立てを楽しむことができます。

7.11.1　図44　HO系カニ24（T社）の動力車化手順例1

①現行車は寝台編成の電源車として最後尾に連結されているトレーラーだが長編成だと機関車索引だけでは力不足となる。そこで動力車化する

②内装はプラスチック製のエンジンアクセサリーで、これを温存して床上にある平面ウエイトや集電板は取り除く

③モーターを固定する部分プラスチック製床板を寸法・位置を測って切り除く

④横型モーターを取り付けるためプラ製では弱いので0.8mm厚真鍮製板で取り付け、穴を開けた床板に組み込む

⑤組み上げの全体写真。台車はDT21と交換する。モーターはC社製缶モーターだが、更に高性能な製品も発売されている。軸径は2.0mmφが標準化しているが、軸径を確認しておくこと

⑥配線を行い、内装基板も取り付けて換装終了。モーターも静かです。以上で完成です

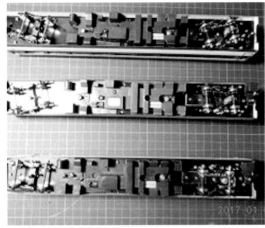

①車輪とレール接触部と床板下面の距離は14.5mmくらいであり、MPギヤ交換後もこの高さを維持する

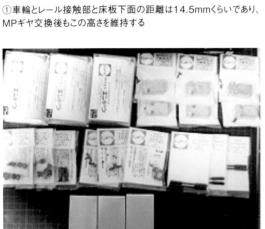

②エンドウ社製指定部品
#6255、5604、6302、6502、6316、6601の購入部材写真。セット販売ではないのでヌケの内容に揃えたい

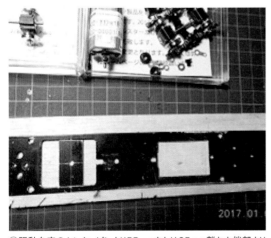

③駆動台車のセンターピンより55mmまたは65mm離れた端部より中央付近に、35mmx22mmの長方形の穴を鉄製1mm厚床板に開け、モーター取り付け部を設ける。床板は0.8mm厚写真鍮板でもよい

④長方形に切り取った切片を再利用して、駆動台車中央部の梁を15mmX28mmで切り取り、元のモーター部穴の中央部にしっかりとハンダ付けした

⑤モーター部と軸が床板とうまく勘合できているか確認している。この後、モータホルダで最終位置決めをした

⑥寸法関係を最終確認できたところで黒色塗装した。この後組立てを行っていく

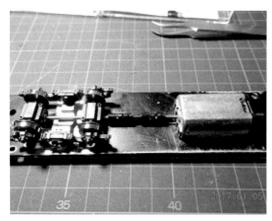

⑦ユニバーサルジョイント全長は〜40mm程度に切断して長さ調整した。0系は車体が長いので線路のカーブに曲がり切れるよう工夫が必要で、モハでは28mmで調整し、機械共振による脱線を避けることも試みた

⑧床板高さを、元と同じ14.5±05mmで調整した

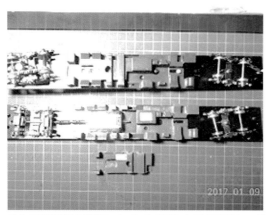

⑨上の写真が元の縦型モータ・インサイドギヤで、下の写真がMPギヤに換装した駆動部。床下機器は写真のように3分割し、未駆動側はそのまま、また、EN22モーター両脇に、切り取った床下機器の外側部のみを接着した

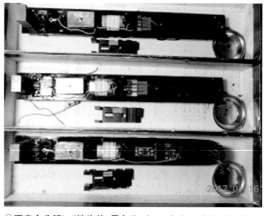

⑩再度全分解して洗浄後、黒色ラッカー→シリコンクリアラッカーで吹き付け塗装した。その後、床下機器などの取り付けも行って最終確認を行い不具合箇所がないか確認した

⑪3両を連結して、走行に問題ないか、各車輌での絶縁性が保たれているか走行させてチェックし、良好なことを確認した

⑫8の字カーブを含む750R線路上で正常走行を確認した

　これ以外に、動力車だけでなく、客車、例えばROCO製のプラスチック製客車を一部真鍮で床下を構成してMPギヤ両軸動力化し、大編成の動力補機として作成した例もあります。

全ゲージを通して言えることですが、先にも記しましたように、

① 「日頃のメンテナンス」……動輪を中心とした車輪周りのクリーニングにより動力伝達部と通電経路系の安定を維持

② 「収納時のメンテナンス」……収納箱の梱包材、クッションなどの塗装こびりつき、変質防止

が何よりも肝要と思います。多くのメーカーは新品を購入しても修理に応じてくれるのは製造後5年程度で、この5年はすぐに時がたってしまい依頼できなくなってしまいます。

また自身で交換しようと取り組んでももう部品自体が入手できなくなっていることが多く、結局他の不具合のある車輛から部品取りして補修することにならざるを得なくなります。

まずは、調子が悪い、故障したかなと思ったらやみくもに分解したり、注油したり、過電圧を加えたりしてはいけません。

第2章、3章で述べましたように手順を踏んで原因を究明し、それも複数の要因が絡んでいることも多いので複眼的に全体を確認しながら進めます。

8.1　Nゲージでの修理ポイント

Nゲージで特徴的な修理を必要とする不具合は、1970年代以降初期のころと現在では基本コンセプトが大きく異なる点が多いですが設計精度上の課題があったにしても修理ポイントは同じで、

① 集電不安定による走行不具合、ギクシャク走行

② 動力ユニット系の不具合

③ ライト類の電球からLED化に伴う変更方法

④ 使用勝手による塗装キズ・ハガレ

が最も多いです。

① は軽微な場合は、市販のクリーニング液を綿棒や歯ブラシに少しつけ、車輪を拭う、台車と車輪間の集電部を摺動させて汚れを取ることでかなり改善されます。

それでも改善しない場合は車体を取り外して内部構造が見えるようにし、そのうち

1) 通電経路をクリーニングする、集電シュー用リン青銅板の除錆、整形する

2) モーターからギヤ駆動部までのクリーニングや注油を行う

ことになります。Nゲージでは車体を取り外すにはネジ止めかフックによる嵌合で行われており比較的容易です。またその際、車体塗装面を傷つけないように車体をマスキングしておくのが良いでしょう。接着剤や溶剤を垂らしたり、工具で傷つけたりしないようにするためです。

しかし、この場合必ず「写真を撮って」ください。クリーニング後その部分の再現や組立て直しするときに迷わなくて済みます。特に蒸機のロッド関係では必須行為です。

② については、交換部品が多くは用意されていますが、初期製品は仕様が異なって入手が難しくなることも多く、修復を行うことになります。ギヤや固定ピンなどプラスチック部品が多く再生するには接着剤だけでは不十分なので金属部品で補うとか、ハンダごての温度を下げて溶着する、成形用樹脂で覆い、その後整形するなどして再生することになり

ます。

また、蒸機ではクロスヘッドやモーションプレート部分などが精密な射出成型による樹脂一体成型されています。そこにロッドなどが嵌め込みピンで止められていますので単に外れやすいだけでなく嵌め戻せなくなると修復しがたい大きなダメージを受けます。普段の取り扱いに十分注意が必要です。復旧が難しい構成部となります。

③ については、年式が比較的新しい製品ではLED化ユニットが別売されているので比較的置き換えが容易ですが、旧型式ではLED化に伴うLED自身よりそのダイオードや抵抗のスペースを確保するのが結構厄介になります。機種ごとに工夫が必要となります。電球使用の機種では12VDCを掛けても大丈夫ですがLED自身は3VDCで切れてしまいますので電流制限が必要で、少し電気回路上の知識が必要となります。

④ では、Nゲージでは塗装済のボディー部だけが分売や中古ショップで入手できるのが一番容易です。筆塗では出来映えに限界がありますので、どうしてもエアーブラシを用いた技術と塗装色の調色が難しく、いつも試行錯誤が伴います。国鉄色でよい場合などは市販のスプレー缶を用いることで結構良い出来映えを得ることができます。

8.2　HO、OO、16番ゲージ

真鍮、アルミや亜鉛ダイキャストなど金属製とプラスチック製では修復は大きく異なります。また年代によっても大きく異なります。

1）金属製

1960年代ごろから本格的になってきた製品で、天賞堂、カツミ、鉄道模型社、カワイ模型、宮沢模型、サンゴ模型、ピノチオなどなど多くのメーカーが誕生し優れた製品が多かった

です。

時を経て、50年ほど経って今まで大事に保管されている、あるいは親から引き継いだ製品が久しぶりに押し入れから取り出して楽しもうと思ったら動かない。塗装が、箱詰めクッションが融けて剥げてしまった、または錆びてしまったなどのダメージを受けて依頼される方が多いです。ウオームホイールをベークライト（フェノール系）で作られていることが多くこの歯車が欠けたり摩耗したりすると交換しにくく、交換部品が入手できても専用工具が必要となり修復が難しくなります。

また、蒸機や電機、DL問わずクッションスポンジの硫化で塗装が融けたり剥げたりしたのは悲惨です。全面剥離して再塗装するしかありません。

駆動系のギヤ駆動機構では縦型・横型モーターを問わずモーター自身が故障することは極めて少なくてむしろモーターとウオームギヤを繋ぐジョイント系の方が多いです。ウオームギヤと連動ギヤ部では絶縁も兼ねて蒸機ではロッド系の部品欠落などでこの多くは部品交換か、部品の素材を切り出して、あるいは流用して再生・修復することで復活できます。

台枠が亜鉛やアルミダイキャストで一体成型されていて、経時変化・酸化などで膨潤して変形する、白く粉をふいて脆くなってしまった場合は、部分的なら樹脂を浸潤させて固め、整形することで復帰できますが全体がボロボロに脆くなってしまった場合は、部品取りか真鍮板で作り直すしかありません。

図46の写真はその例で50年ほど前の製品でD60蒸機依頼品です。大変大がかりな補修となります。

図46　ダイキャスト成型台枠（シャーシ）がエビ反りに変形した例

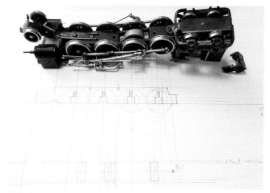

現状①台枠がエビゾリに変形

修復⑤台枠寸法だし

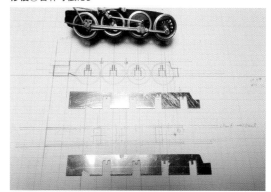

②台枠にひび割れと脆さ発生

⑥1mm厚真鍮板より切り出し

③台枠前後が腐食折損

⑦台枠のハンダ組立て

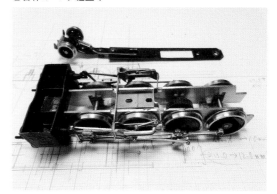

④ピストンも欠落

⑧車輪・ロッド組み込み

⑨組み上げ・調整完了

　電車・気動車系ではインサイドギヤトラブルによる走行不良とともに通電不良が多いですが、これらも比較的修復しやすい事項です。分解⇒機構・通電部のクリーニング⇒少々の注油と通電部の再ハンダなどで修復できます。

　塗装は電機などと同様です。変色していることが多いので色合わせや艶を揃えるのに試行錯誤が必要で時間を要します。

2）プラスチック製

　台車装備、床下機器の配管なども極めて精巧に立体的に一体成型されている製品が増えてきました。従って扱い方を間違えるとすぐ折れたり、変形したりしてしまいます。

　そして車体も、これはHOゲージ系だけではないですが、塗装も大変精巧に行われるようになっています。従来の吹付・塗分け塗装に代わって転写法によるパッド印刷技術で曲面も美しくライン、模様も出せるようになってきたことが大きいです。それだけに修復する場合は"元の状態に戻す"ことが難しくなっています。

　海外製も全般に更に精巧になってきています。海外製では車体下部が絞られた形の車輌も多く、そのため車体と床下機器下回り部も境がわからないくらいしっかりした嵌め込み式やフック式で嵌合されているので内部を修理するときには細心の注意を払って分解して内部を確認できるようにしなければなりません。

　駆動系もプラスチック製を多用した嵌め込み式の組立て、ウオームギヤを除くウオームホイール～連動ギヤ～車軸ギヤまでの製品が増えました。ギヤ周りはいわゆるエンジニアリングプラスチック製の製品が多く堅牢ではありますがギヤ割れも多く代替品が入手しにくいこともあって致命傷となります。

　駆動系組立て部は弾性のあるスチロール系の樹脂も多く、経時劣化で変形してきますし、鉱物系のオイルなど用いると余計脆くなったりします。専用の精密油を少量やグリスを使います。

　また、内部はDCCデコーダ搭載可能構成になっていますので説明書をしっかり読み込み、その上で修復を行わねばなりません。

　それから意外なことではあるかもしれませんがハンダ付けするときはプラスチック部品に接触しないよう注意が必要です。結構よく起きます。修復不可能になります。

　国内製の動力車でも低コスト化を兼ねて蒸機でも電機でもプラスチック製が増えてきました。構造的には動力部分をユニット化してメンテナンスしやすくする、またアクセサリー関係は細密になり自分で嵌め込んで取り付けるように構成されていますので走行に必要なパーツを取り付けて楽しみましょう。しかしその精巧さゆえに外れたり、折れたりしやすいです。

　いろいろな箇所で折損したり、欠落したりしやすいです。

　力の掛かる箇所では接着だけでは強度が持たないので中心部に穴を開けて金属芯を入れたり、溶融接着したり、注入樹脂で埋め込んで硬化後整形するなどして修復することにな

ります。ただし歯車は各車輌で形状がマチマチなので入手も難しく複製も困難となります。

8.3　1番、Gゲージ

　同じ1番ゲージでもライブスチーム系は別途専門誌に委ねることにして、ここではレーマン社製（現メルクリン社、LGB）、PIKO社製、バックマン社製が中心となります。両規格ともにレール幅は同じですが縮尺は1番ゲージでは1/22.5、Gゲージでは1/32と異なり本来異なる分野で、外観もGゲージは軽便鉄道的な形態となっています。

　いずれも屋外で子供たちと車輌自身に物を載せたり、タンクに水を入れたりすることができるよう構造も最低限シンプルにし堅牢にできているのでとても長寿命です。当方も保有していますが30数年たった今も全く不具合がありません。

　LGB社製では車輪からではなく、直接レールに専用の集電シューを押し付け摺りつけて通電し、モーターを駆動しているので故障も少なく安定しています。

　通電系もしっかり配線されていますし駆動系もシンプルで安定しています。モーターは内部のカーボンや焼結金属ブラシ寿命が来たらそっくり交換することで容易にできます。

　とはいえ消費電流が大きくモーターの発熱も大きいので1回の運転は1時間程度にしておくと寿命を長く確保できます。

　一方バックマン社製は通常のように車輪保持部〜集電シュー〜モーター結線で駆動していますので、他のゲージと同様なメンテナンスが必要となります。

図47　LGB蒸機のモーター故障交換

①ネジを外し内部分解

②ロッドと集電シュー確認

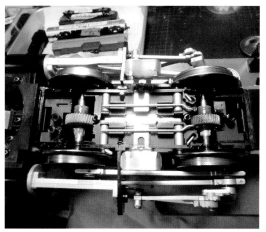
③床下部の集電構成確認

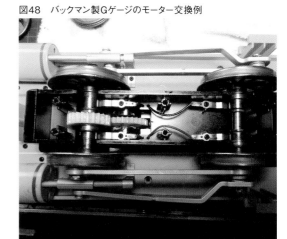

図48　バックマン製Gゲージのモーター交換例

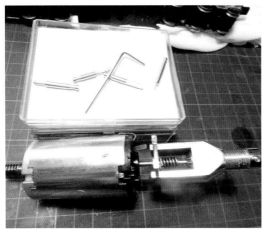

④プーラーでモーターギヤ外し専用モーターに交換。ギヤ付きも市販あり

①集電は車輪より軸部で行う

⑤換装してグリス塗布する

②Percy内部構造とモーター交換。ブラシ摩耗が大きい

⑥試走して完了した

③James蒸機のマブチ製モーターRS-385SA-2073交換例

8.4 その他ゲージ

　縮尺1/43 - 1/48、軌間32mm のＯゲージ、1/120、12㎜幅の TT ゲージ、1/220、6.5㎜幅のＺゲージ、その他車輪がちょっと浮いた線路上で回る、ライトが点灯、汽笛が鳴るなどするディスプレイ装飾用・記念品・贈答用の大型精密模型の修復依頼もあります。また、海外製品のＯゲージも結構依頼をいただきます。

　ここではＺゲージの4例について紹介しておきます。

③M2社製 DBディーゼル。汚れが多い

図49　Ｚゲージの修復4例

①M1社製 88123蒸機。第1動輪の位相差がズレ。プラ製スポーク車輪に多い

④それを分解洗浄して復帰した

②8104蒸機。汚れによる走行不良でギヤ中心にクリーニングして復帰

各ゲージともに不具合部分の代替パーツが入手できないと修復は進みません。

海外製部品はかなり限定的にしか入手できないので国内製を流用したり、少し加工して使用したりしますが、どうしても合わない場合は金属基材やプラスチック板材、棒材、角材などを加工して復元再生することになります。また、立体部材ではシリコン、石膏、粘度などで型を作り複製できることもあります。

幸い今では鉄道模型ネット通販で各メーカーからも結構分売されることも多くなり、またメーカーが跨る場合でも総合的に扱う模型店や通販店も増えましたので、適宜選定しながら入手できるようになりました。

LED、リード線、コネクタなどの電子部品や組立てに必要なハンダごて、工具などを同時に扱い小口分売している電子部品通販店も増えました。価格的にも数量的にも手ごろなので大変利用しやすいです（例：秋月電子通商、共立エレショップ、千石電商、マルツなど）。

9.1　共通部品

例えば、国鉄時代の郵便荷物車であるクモユニ74を作るとしましょう。

車体キットを用いるか、あるいは真鍮やペーパーで自作するとして必要な主要部品を考えますと、走行する部品としてはまず台車、車輪10.5mm φプレーン軸又はピボット軸、台車を床板に左右に回転できるように固定するボルスター、そして横型モーターではギヤ伝動系ユニット、縦型モーターを用いて従来タイプの伝動系だとインサイドギヤ、ウ

オームギヤ、通電系では集電シューなどの部材が必要になります。

そして、外観を整えていくのには床下機器一式、連結器（カプラー）、パンタグラフ、避雷器などの屋上機器を入手していくことになります。

これにライト系が加わります。今ではヘッドライト・テールライトを運転台両端に組み込める小型のチップLEDユニットと室内灯ユニットが入手できます。ヘッドライトはこの機種ですと"電球色""暖黄色""Warm White"などと呼ばれるLEDを用いることができます。

これを自作するとなると、先に述べたように定電流ダイオードかダイオード＋抵抗器がLED以外に必要となります。

取り付けのためには、次のような共通部品が必要となります。

・ビス／ナット／ワッシャ
　（1.0、1.2、1.4、2.0、2.6、3.0mm φ、+、六角）
・ロッドピン用ネジ（段付きネジ）各種
・スプリング材2mmφなど各種のステンレス製・銅製

9.2　基本材料

例えば車体に手摺りを取り付ける、パンタグラフからの配線を車体角面から床下に配管する、または床下機器の不足部を手作りして据え付ける、ジャンパー線を両運転台下の連結器横に付けるなどには0.2mm φ〜1.0mm φ程度の線材や角材が必要になります。材質にはピアノ線（鋼材）、真鍮、リン青銅、アルミ、またはプラスチック線材などの汎用材

料が必要となります。

　床板には0.8mm 〜 1.0㎜厚真鍮板が多く用いられます。

　これらも多くは模型店で取り扱っていますしDIY店でも入手できます。

　また、窓材として用いられる透明塩化ビニルやアクリル板などがあります。

・真鍮板（0.2、0.5、1.0mm 厚基本）
・真鍮線（0.2、0.4、0.5、0.8、1.0、1.2、1.5mm φ）
・洋白線（〃）
・銅線（〃）
・透明アクリル線（2.0、3.0mm φ）
・透明アクリル角棒（2mm □）
・ABSやスチロール、アクリル製プラ板（0.5、1.0、2.0mmt）
・金属パイプ（アルミ／真鍮／銅　3.0mm φなど）
・各種幅帯材、アングル・チャンネル材（真鍮、洋白、アルミ、鉄など）
・ピアノ線（0.1mm φ〜）

　例えば、エコーモデル社などではこのような素材がよく揃います。

9.3　副材料・補助剤

　直接完成車輌の機能には大きく影響しないまたは共通材料の固定などに使われる部材を副材料とか補助材料と呼んでいます。

　例えば共通部品以外の各種ネジ（1.4、1.7、2.0、2.6mm 平頭ネジおよび2.0mm タッピングネジを多用）、ナット、絶縁ワッシャ（バルカナイズドファイバー製など）、スプリング類をはじめ各種接着剤、片面・両面テープ類、リード線（AWG32相当品を多用）、ウレタン線（0.2、0.32mm φ多用）など、塗装するときに使用される表面処理剤やプライマー、塗料、溶剤があります。特に接着剤は瞬間接着剤の中でも白化しにくい、衝撃性や振動性

に強いなど目覚ましい進歩がありますし弾性的な変性シリコンゴム接着剤でも用途によって選べるようになりました。

　また、UV 接着・成型剤やメタクリル系溶融成型材なども身近に使えるようになりました。自動車修繕で用いられる2液性エポキシでも耐熱衝撃性があり硬化後整形できるタイプも輸入品で出回っていて利用できます。

　通電・駆動系ではクリーニング剤や電気接点洗浄剤、グリス、精密機器用オイルなどが必要となります。よく材質に拘らずギヤ駆動系にオイルを多く注入する方が多いですが、これは却って埃を巻き込んで噛んでしまって走行を妨げたり、ギヤが樹脂製だと割れ発生を促進させてしまうことがあります。

　特にプラスチック製回転系の部品に鉱物系オイルには注意が必要です。ひび割れや溶解を招くことがあるので、車輌メーカーの説明書をよく読んで専用のオイルを使ってください。

9.3.1　接着剤

・瞬間接着剤各種
・2液性エポキシ接着剤（10分、90分硬化で国内製、JB ウエルドなど）
・シリコン変性ゴム接着剤（透明、黒など）
・1液性 UV 硬化型接着・成形剤（透明、黒）
・造形補修剤（プラリペアなど）
・補修パテ（ロックタイト、タミヤ、塗料系など）
・プラ系接着剤（ABS、スチロール、塩ビ、硬質アクリルなど）
・マスキング溶液

図50　接着剤

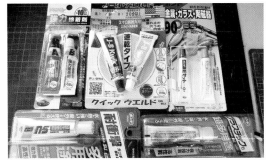

（1）エポキシ系・シリコン系

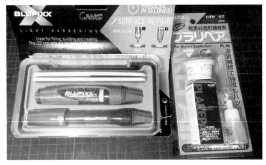

（2）UV造形剤、溶融型アクリル造形剤

9.3.2　テープ

- マスキングテープ（2.0mm～ 20mm各幅で模型用。業務用は避けたい）
- 曲面用ビニル製マスキングテープ（同上）
- 布入りビニルテープ（10mm幅～。日東電工など）
- 布製絶縁テープ / ビニル製電気絶縁テープ（うらら、スコッチ製など。10mm幅～）
- ポリイミド製テープ（薄手・厚手、10から25mm幅、カプトンなど）
- 薄手両面テープ各種

図51　各種テープ

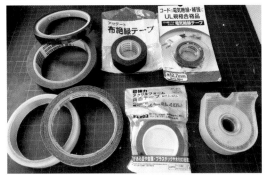

9.3.3　クリーニング剤

- クリーナー（ユニクリーン、レールクリーナーなど）
- 電気接点修復剤 / エアークリーナー
- 除錆剤（ラストリムーバー［KURE］、HAYABRIGHT［サンハヤト］などの銅基板除錆などの有機リン酸系、サンポール［キンチョウ］などの希塩酸液）
- 高濃度イソプロピルアルコール（IPA、剥離剤としても使用する）
- 高濃度エチルアルコール
- 油分洗浄剤として洗浄用シンナーやアセトン（FRP張り合わせ溶剤として販売されている、なくともよい）
- 耐水ペーパー（#250 ～ #1200水研ぎ用が好ましい）

図52　クリーニング剤・精密油・グリス

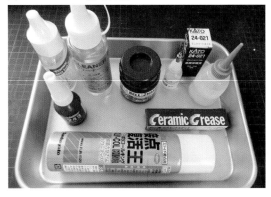

9.3.4　電気配線材

- AWG32相当リード線など
- ポリウレタン被覆銅線
  （旧エナメル絶縁銅線0.15、0.2、0.3mm φ）
- リン青銅線、箔、板材
- 接点スプリング
  （銅、洋白、真鍮、鉄、1.5mm φ～）
- 熱収縮チューブ
  （赤、黒、透明、1.5mm φ～）
- 5％銀入り糸ハンダ（0.5、1.0、1.5mm φ）、

レジンフラックス、塩化亜鉛5％溶液（配線用以外に用いること）

・各種小型コネクタ・ピン

9.3.5 オイル・グリス

・セラミックグリス

・精密機器用各種グリス

・精密機器用オイル

よほどのモデラーでなければ、あまり特殊で高価、場所を必要とする、大きな音を発するような用具は持ちたくありません。まずは通常必要とする小道具を、一度にではなく必要に応じてコツコツと少しずつ揃えていくとよいでしょう。

10.1 汎用工具

カッター、テープ、定規、清掃用刷毛など汎用事務用品は普段使い慣れているものを用いればよいのでここでは工具として掲載しません。

①精密ドライバーセット

よく知られているように（＋）ドライバーと（－）ドライバーの6本小型セットが重宝します。

ネジ面が小さいのでしっかり焼きの入った、形の崩れない良質のものを入手しておきたいですね。例えばHOゲージ系金属製ではまだマイナスネジを多く使うものもありますし、また8か所／1輌で床板と本体を外ししっかりした製品もあるので、つけたり外したりするのが煩わしくならないように、持ち手が直径30mm φ程度で、先端を各種取替えられる充電式小型電動ドライバーもおすすめです。当方はトルク調整もできるので結構重宝して用いています。

1辺が2.0mm、3.0mmの6角ナットドライバーもあると重宝します。

図53　充電式電動小型ドライバーセット例

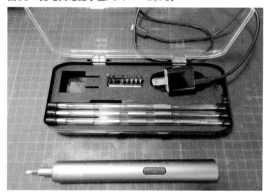

②精密ピンセット

極小パーツをつかんで所定の場所まで持ち込むまでにポンと弾いて飛んでいかないようにしっかりと挟むことのできるステンレス製の精密ピンセットを購入しておきたいですね。

まずは先が真っ直ぐなタイプと鷲口・先曲がりタイプなどと呼ばれる先が片方に曲がっているタイプの2種類が必要です。見極めとしてはつかんで挟み込んだときに先端がきちんと揃い、開いていないことが重要で良質なものを入手しておきたいですね。以前はスイス製などを利用することが多かったですが最近では模型メーカーでも良質な製品を手ごろな価格で発売しています。

当方は医療用のピンセットも重宝していますし自分の手にあった製品を入手するには少し試行錯誤が必要でしょう。

また、透明プラスチック面を傷つけないように表面をコーティングしたステンレスピンセットや除錆剤に触れるとき使用する耐薬品性のプラスチック製ピンセット、そして押して挟んだときに先が解放される逆作用ピンセットも奥の方に挿し込むときなどに重宝しますので必要に応じて入手しておくとよいでしょう。

図54　ピンセットの種類

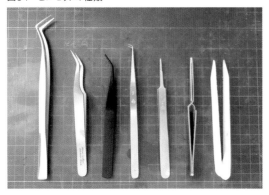

③小型ニッパー・ペンチ

ニッパーはそれぞれお使いの好みの物を使えばよいのですが、大物をカットしたりすることは少ないので当方はHOZAN製精密ニッパーN55を愛用しています。またプラスチックでは面と面一にカットすることが多いので、平面で薄刃のプラスチックカット専用のニッパー、とこの2本があればよいでしょう。

いわゆるラジオペンチともう一つ単に挟んで抑え込む使い方だけでなく、場合によっては小さな加工物の先を曲げることが多いので、挟む先の内側に滑り止めのギザギザが付いていない平面タイプのペンチがあると使いやすいです。ギザギザがあると車輛側の部品を傷つけてしまいます。

プラスチック製の部品を挟む場合は更にマスキングテープを先端に巻いて用いるとキズもつけずに良いです。

細いリード線を使うことが多いので小型のワイヤーストリッパーも欲しいところです。ナイフなどで剥ぐと線自体も切ってしまうことがよくあります。

図55　ニッパー類

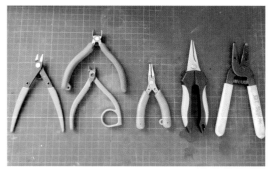

④デザインナイフ（工芸用カッター）

工芸用の市販されている替刃型のデザインナイフが重宝します。インレタ関係やマスキングテープで塗装保護カットするときなどに便利です。NTカッターなどがあります。替刃はケチらずこまめに取り換えることが綺麗に仕上げるポイントです。

⑤パーツオープナー（金属製薄刃ヘラ）

HOゲージ系金属車体では床板と本体をネ

図56　オープナー例

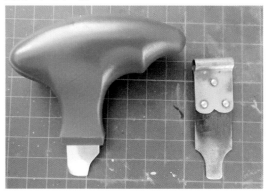

ジ止めしている製品が多く、ネジを外した後でも嵌合がしっかりしていてマイナスドライバーでこじ開けたりすると塗装を剥がしたりキズつけたりしてしまいます。

ましてやHO系/Nゲージ系はプラスチック系が多く、プラスチックの柔らかさを利用して嵌め込む構造が増えていますので、本体と床下部分のツメ外しをして開封するときには傷つけるだけでなく曲げてしまうこともあるので慎重に外さねばなりません。

そのために以前は図56右側のような幅1cm程度の薄いヘラ状刃先のオープナー治具がKATO社からも販売されていて大変重宝していました。

今では組立てたプラモデルのツメ外しやOA機器カバー外しのための、把手の付いたオープナー製品が利用できます。少し刃厚があるので薄く研いで用いると更に使いやすいです。

⑥金属切削用糸鋸・糸鋸刃

真鍮をはじめとする金属加工には、深みの大きい、U字状の金属用糸鋸も欲しいものです。

これに用いる糸鋸刃としてはスイス・バローベ製やドイツ・ヘルクレス製の細かさ#2/0、#3/0、#4/0が刃厚も薄く、細く、切れ味も良いので圧倒的に有用です。取り扱っている模型店や工具店も多いので是非入手しましょう。

⑦小型電動ドリル（リューター兼用可能）、金属用ドリル刃セット

金属、木材、プラスチックへの穴あけ用に必要です。

手動ハンドルでも良いのですが、今では小型リューターとの兼用でドリルとして使うこ

とができます。通常の加工ではさほどパワーは必要でないのでボール盤までは必要ないでしょう。

国内製は勿論、ドイツ製で扱いやすい製品が多くあります。

穴あけ加工に必要なドリル刃はセットのもの、およそ2.0mmφ以上が多いのでこれに追加して0.5〜1.0mmφを揃えると便利です。穴を開けたら穴あけの1.5〜2.0倍の刃でバリ取りをしてください。

⑧ハンダごてセット

電気配線関係では〜40W程度の先細のコテがあればよいです。

ハンダでよく使われるのは模型業界では46（シブロク）ハンダと言われる融点190℃程度です。工業用には鉛フリーハンダだと融点が少し高くなりますが、小手先温度は250℃以下でよいです。このハンダは混ぜて使ってはいけません。

金属加工のハンダ付け、特に多いのは真鍮製組立てや修復ですがこれには60-100Wクラスの平ごてがあると熱が加工物に伝わりやすく作業がはかどります。パワーコントロールして適温で使えるように、また使わないときはパワーを下げるパワー調整器（温度調整器）が一体化した、又はコンセント口に後付けできる製品もあります。これにハンダごてクリーナー、置台が必要です。フラックスは電気配線用ではロジン系を、組立てには塩素系フラックスがあるとハンダの流れが良く、密着します。

ハンダは細い糸状ハンダ0.5〜1mmφ程度のものが付きすぎることなく加減できるので使いやすいです。

ハンダを溶かす適温は、ハンダごて先にハンダを溶かして載せたときにコテ上に"玉"

のように艶のある状態が適温で、温度が高い
と溶け落ちたり酸化変色してきたりします。

⑨その他の治工具

その他小型精密ヤスリ、洗浄用小型ブラシ、
ピンバイスと小ネジ用タップ切り、ノギス、
ワイヤーストリッパー、精密金切り鋏、万力、
V/A メーター付き定電圧源などもキット加
工・自作製品や修復作業が増えてきたら一遍
にではなく必要に応じて順次揃えていくと負
担にならずに良いでしょう。その方が作業も
身構えずに楽しくなります。

図57　車輛工作台（幅約30mm×高さ約40mmのバルサ材にフェルト材を貼ってある）

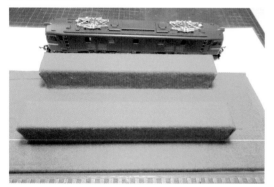

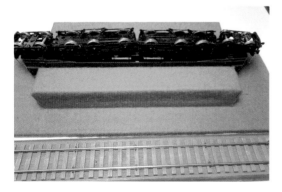

図58　自作のN/HO系通電端子

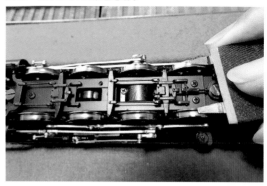

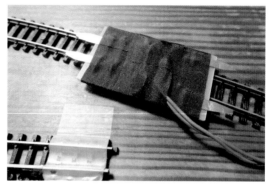

図59　ウオームギヤのプーラー2種

10.2 　特殊工具

　平素の加工や修理作業では必要ありませんが、入手不可能な部品を自分で作って補修したり、自分の好みの部品を取り付けたりするのに加工したいときに重宝します。

　当方はボール盤、小型精密旋盤、小型フライス盤を備えています。楽しく自前加工をもっと取り入れたい方々には重宝する装置ですが、重量物、騒音、換気などに対応できるスペースが必要となります。当方も旋盤など専用機械は訓練学校で教えてもらいました。怪我のないように専門技術の習得が必要となります。

図60　小型精密旋盤（メカニックス社製）

第11章　塗装

　さて、いよいよ塗装です。

　キットを組立てて最後に塗装をしたい場合は勿論、古くなって色が褪せてきたので塗り替えたい、車輌を脱線して落として剥がしてしまった、あるいは机から落下させて車体が凹んで色も剥がれたので修復したい、接着剤や他の塗料を垂らしてしまったので直したい、実物の塗色変更に合わせてオリジナル塗装の車輌を塗り替えたいなどなど様々な理由で塗装を行う必要が出てきます。

　ゲージの違いによって塗装方法を変更する場合は少ないですが、真鍮をはじめとする金属系の車体や下回り塗装と、スチロール系や

ABS系プラスチック車体との塗装では塗料の種類・溶剤自体をP93表3にあるように選ばねばなりません。

　典型的な例としては、金属系塗装で多く使われるセルロース系ラッカーやエナメル系は

使用する溶剤（シンナー）が樹脂を溶かしてしまうのでプラスチック系には使えません。

逆に、今までプラスチック向けに多く使われていたアクリル系、水性アクリル系、水性エナメル（これもアクリル系）は、密着材のプライマーを塗布して整えることで金属系にも多く使われるようになりました。また塗分けするときにも使い分けると塗装滲みが起きたときに修正するには重宝します。

11.1　標準的（典型的）な塗装手順
11.1.1　真鍮などの金属製車体の塗装手順
①溶剤洗浄による脱脂⇒②希塩酸系や有機リン酸系溶液による除錆洗浄⇒③クレンザーなど脱脂洗浄・乾燥⇒④プライマー吹付・乾燥⇒⑤面状態により（サーフェーサー）⇒⑥内部塗装⇒窓部マスキング後、⑦基本的には明色より塗分け・塗り重ね塗装を行うが発色の悪い場合は下地用白系塗装するのも良い⇒⑧マスキング部などの剥がし部境の色補修⑨十分乾燥。冬季は温風乾燥が良い⇒⑩Ｈゴム・サッシなど墨入れ⇒⑪トップコート（オーバーコート）、低温高湿度時は避けること
の10（11）工程を踏む必要があります。

11.1.2　再塗装をする場合
プラスチック車体や、金属車体の塗装が剥がれてしまった、傷がついて塗装をし直したいときには一部又は全部剥がす作業が必要となります。特にプラスチック車体ではいきなり一般的なシンナーで溶かして剥がそうとすると車体本体も溶けて大変なダメージを受けるので慎重に手順を踏んで作業しなければなりません。

（1）金属車体などの場合
塗装剥離を、シンナー溶剤に漬ける、または

は塩素系・非塩素系塗装剥離剤を刷毛塗して金属ブラシや古歯ブラシなどで塗料を剥がし、十分洗浄してから11.1.1の工程で塗装していきます。

（2）プラスチック車体などの場合
アクリル系専用のシンナーであっても成型体を溶かしてダメージを与えるので用いてはなりません。ここでは高濃度のイソピルアルコール（通称IPA）液に浸漬し古歯ブラシなどを使ってゆっくりと剥がすことが望ましいです。消毒用などで販売されている60～70％濃度では剥がれにくいのでカー用品で「ガソリン車用水抜き剤」として売られている添加物の入っていない90％程度以上のIPAの方が効果的です。薬局でも注文できます。

（3）ペーパー主体の車体の場合
初めての場合は角部や屋根と車体側面接着部にはパテによる切り出し部埋めと整形、そしてサーフェーサーによる下地塗装耐水ペーパーを用いて面出しが必要になります。念入りに行うことが塗装後の仕上げに直結します。その後は金属・プラスチック製と同様の工程を踏んで塗装します。

11.2　塗料の種類
工業用を含めると多くの種類の塗料があります。また、プラモデルや鉄道模型用だけにしても多くのメーカーと種類があります。詳しくは各メーカーでの説明に譲るとしてここでは要点だけ紹介しておきます。

ラッカー系、アクリル系ともに塗色は『国鉄車両関係色見本帳』に依って調色されている「○○色○号」という塗料を用いるのが便利です。これをもとに、各メーカー完成車輛ではアレンジされているので「マンセル記号」

表3 塗料の種類

種　類	塗料樹脂	乾燥機構	溶剤	特徴		用途	主なメーカー
				長所	短所		
ラッカー塗料	セルロース	溶剤揮発	専用シンナー	速乾性	換気要	金属中心	マッハ模型、日光モデル
				密着性	―	―	
	アクリル	溶剤揮発	専用シンナー	速乾性	換気要	プラ、金属	タミヤ、クレオス、ガイア、GM
				密着性	―		
エナメル塗料	エナメル顔料	溶剤中の酸素と反応	石油系溶剤	遅乾性	塗膜性	金属中心・上塗	タミヤ、ハンブロール
				光沢	―		
	水性エナメル（水性アクリル）	水エマルジョン乾燥	水・専用シンナー	取扱性	準光沢	プラ、金属	ニッペ、タミヤ、クレオス
				―	―		
ウレタン系	―	硬化剤での重合反応	専用シンナー	汎用	2液性多い	汎用	ニッペなど

表4 塗装補助剤

塗料補助剤	基材	機能	メーカー	用途
剥離剤	イソプロピルアルコール（高濃度）	古い塗装の剥離でプラスチック車体用	消毒用薬品	スチロール・ABS系
	剥離剤（リムーバー）	シンナーでも良いが短時間で剥離できる。金属車輪に有効	非塩素系（ニッペ）	金属系のみ
除錆剤	希塩酸	長く利用されている	サンポールなど	金属系のみ
	有機リン酸系	真鍮車体などの銅系での除錆に効果が大きい交流機の屋根高圧配線洗浄にも効果的	ブラスクリーン（マッハ）、ラストリムーバー（クレ）、ハヤブライト（サンハヤト）	金属系のみ
パテ	セルロース系	凹凸穴埋め	マッハ	プラ以外
	アクリル系	〃	各塗料メーカー	多目的
サーフェーサー	セルロース系	面出し	マッハ	プラ以外
	アクリル系	〃	各塗料メーカー	多目的
プライマー	非鉄金属プライマー	真鍮などの素材と塗料との密着性向上	マッハ、いさみや、アサヒペン、クレオスなど	金属系のみ
	多目的プライマー	材質を問わず素材との密着性向上。粘着性がある	ミッチャクロン（染めQ）、フィニッシャーズ、ガイア	多目的
トップコート（オーバーコート）	透明アクリル系、水性	表面保護、艶の均一化	クレオス	―
	変性シリコンラッカー	―	アサヒペン	―
その他リターダ	セルロース系溶剤	乾燥速度の遅延化で"被り"を防ぐ。	マッハ、日光モデル	―
	アクリル系溶剤	―	クレオス、タミヤなど	―

「16進表記」「RGB」色表記を参考にして再調整すると車輌の大きさや色調で変わる色具合を調整できます。PC上では「RGB」表記で捜すと感覚的に捉えることができます。

11.3　塗装補助剤

塗装をするには、11.1.1、11.1.2に記したように事前の前処理が必要となります。

その際に用いる補助剤は前ページ表4で紹介しています。工業的にはもっと良い方法があるかもしれませんが一例として表記します。

11.4　重ね塗り・塗分け

重ね塗りに用いる塗料はやはり限られます。同種類で塗り重ねをするのが無難ですが場合によっては異なる種類の方が良いこともあります。またHゴムや墨入れなどでは修正できるように異なる種類、エナメル系を使うなどで行った方が良いこともあります。

一般的には下記のような表の組み合わせが一般的ですので参考ください。

表3　塗料組み合わせ

下塗り ＼ 上塗り	ラッカー	水性アクリル	水性エナメル
ラッカー	△	○	○
水性アクリル	×	△	△
水性エナメル	×	○	△

塗分けは、基本的には塗布面の大きい箇所⇒マスキングして塗布面の小さな箇所へと、そして色調は明るい色⇒濃い色へと刷毛塗・吹付塗装すると境界面が綺麗に仕上がりやすいです。

テーピングは仕上がりに直結するのでじっくりと且つ慎重に行わねばなりません。

直線部の塗分けや緩い局面では紙製の適当な幅のマスキング用市販ラインテープを用い

ます。

住宅塗装や工業用で用いられるマスキングテープでは端面に微小な埃が付いている、また切り口が毛羽ついている、少しうねっているものがあるのでこの場合は一旦プラスチック板や工作ボードに伸ばして貼って、あらためて定規を用いて端面をカッターで切って直線面を出し用いると塗分け面が美しく仕上がります。

先頭車体の正面部は曲面と凹凸部が多いので、直線テープは短くこまめに貼り付けていくのと、曲線用のクリアーラインテープ（ニチバン、ニットーなど）、アート用テープを用いると面出ししやすいです。また、曲線部と直線部を繋ぐ部分やヘッドライトカバーやテールライト凸部、手摺りなどにはテープだけでは覆いきれない部分には“水性マスキングゾル改”（クレオス）を併用して覆うと良いでしょう。

なお、塗装して乾燥後テープを剥がすときは、添付の粘着力や塗料の密着力のバラツキで塗面がペラっと剥がれて痛い目を見ることがあります。剥がすときにはゆっくりと境面とは少し角度をつけて80-90％乾燥が進んだ状態で行うと良いです。完全に乾燥すると境目にバリが生じ段差や綺麗な線部が欠けることがあります。この場合は、少し遠くからドライヤーを充てて粘着力を弱めてから剥がしていくのも良い方法です。

11.5　調合

「国鉄色」と呼ばれる塗装は、『国鉄車両関係見本帳』として旧国鉄が1950年台以降に整理、発行されている色見本に基づき、当初は「マンセル記号」で色表示がされている色見本帳です。

マンセル記号は、「色相、明度、彩度の3つ

の属性の段階で色を表す表色系で基本色は10色ある」とJIS規格にあります。それ以外は16進表記やRGBにても表記されていますが、現在ではJRを含め私鉄各社も含めて統一された色表示は整理されて公表されていないことが多いです。また、例えば旧国鉄の交流電機塗装に用いられる「赤2号」などは途中でマンセル記号が変更されたこともあって一定ではありません（『国鉄色ハンドブック』機芸出版社、『国鉄色車両ガイドブック』誠文堂新光社など参照）。

加えて、車輌使用中に、実物でもそうであったように模型でもかなり温湿度、日射光などの保管状況によって影響されて変色して色が褪せたり、または焼けたようになったりします。

今では塗料を多く使う場合であれば「色彩色差計」のような計測器が有用ですが、個人でたまに塗装するような場合には購入するのは大げさすぎるかもしれませんので、結局市販の模型用塗料をベースにして、メーカーごとに多少異なる色調の塗料を調合し、変色・褪色を作る技が必要となることになります。仕上げでは艶加減も結構難しいです。

Nゲージの汎用車体であれば、塗装済みの車体だけ購入する、中古ショップでぶら下げ売りの車体を入手して取り換えるなど代替手段も現実的なのでうまく活用しましょう。最終的には光沢・半光沢・つや消しの3種類のクリアトップコートを吹き付けて統一感を得ると良いです。

海外製車輌の塗装はもっと厄介です。まず市販品の鉄道用塗料は入手できません。

そこで、ベースとなる色を見つけることから始まりますのでかなりの試行錯誤を伴うことになってしまいます。

11.6　塗装用具

塗装するテクニックの要点・エッセンスを理解し、系統的に知るには各模型塗料メーカーのカタログやマニュアルを参照されると良いです。そこにはわかりやすくまた詳しく説明されているので是非、基礎知識として理解しておきましょう。

修理での塗装の基本は部分補修やHゴム、墨入れでは細筆やカラス口を用いますが、剥がれの補修などではエアーブラシを用いた方法が中心となります。

（1）エアーブラシ

模型塗料メーカーなどより利用しやすい仕様の製品が多く市販されていますのでここでは個々の紹介はマニュアルや専門雑誌に委ねます。

面積の広い塗布面では"スプレーガン"が良いかもしれませんが、HOゲージなどの大きさでは繰り返し塗装する"エアーブラシ"の吐出口を調整しながら用いることで十分行えます。その際、濃度調整に気を配るのが塗装の出来栄えに大きく影響します。

・ノズル径　0.2〜0.3mm程度
・ブラシ自体はシングルアクション・ダブルアクションタイプがあり、2本持っていると塗分けの際タイミングよく作業できます。
・塗料カップは〜10cc程度

（2）コンプレッサー

・コンプレッサー圧　〜0.1MPa程度で、可変できるレギュレータ付きだと更に使い勝手が増します。
・吐出量　〜20L/min

一体型のものが使いやすく、少し慣れたら個別に増やして用途別で揃えると良いです。

メーカーにはクレオス製、タミヤ製で実績があり、Oasser 社や aurochs 社から充電式コンプレッサー一体型のアート用小型タイプも発売され、電源のないベランダで屋外作業するにも向いています。

当方は標準的なタミヤ製コンプレッサーといくつかのエアーブラシを長く用いています。

図61　エアーブラシ作業の実際。ブースは自作

(3) 塗装ブース

これも必需品です。ダンボールなどのハニカム状吸収材を備えたブースがタミヤ製など模型・塗料メーカーから販売されています。当方では図61にあるようにワンボックスのカラーボックスに、防塵フィルタを取り付けたトイレ用換気扇を組み込み、これに段ボール吸収材、100円ショップでも入手できる TV 用回転台を下に敷いて取り付け、自作して使用していますがこれでも換気能力は十分にあります。

(4) 塗装に使用する小物

通常の工具に加え、修正・補正に用いる小筆セット、塗料を薄める際、小分けするのに用いる PP/PE 製容器、塗料攪拌棒（スパチュラやガラス棒、割り箸など）、各塗料の専用シンナー、ツール洗浄用シンナー、ウェス、洗浄に使用した液の回収容器、これらを

一式備え、液漏れがしても周囲を汚さないように収納するパレットがあると良いです。小物のパーツを塗装するときは吹き飛ばないようにワニ口クリップや両面テープを用意しましょう。

また、健康対策として安全メガネ、防塵マスク、薄手のポリエチレン製手袋も必ず用意します。

(5) 塗料の濃度調整

さあ、ここからが塗装本番です。

塗装テクニックは、各塗料メーカーから販売されている『塗装テクニックマニュアル』に記載されています。それを踏まえて当方では次のように実用的に調整して実用化しています。

エアーブラシでは細かい塗料のスプレー粒子が気化して周囲の熱を奪ういわゆる"被り（白濁）"を発生させてしまうので、室温は20℃以上、天気は湿気の少ない晴れに行うのが鉄則です。

冬場では火の気の伴わない暖房・カーボンヒーター・ドライヤーなどをうまく活用すると良いです。またラッカーは速乾性で"被りやすい"こともあるので冬場には乾燥を遅らせる"リターダーシンナー"を薄め液のMax10％以下で混合すると防ぎやすいです。水性アクリル塗料では初めて用いるときはすでに濃度調整されているのでそのまま用いることができますが、それ以外の塗料は、一般的には刷毛塗に比べかなり薄める必要があります。

塗料容器より小分け容器に小出しし、そこに少しずつ攪拌しながら薄め液を滴下し調整していきます。

目安は各塗料メーカー説明書やマニュアルに記載されているので必ず熟読してほしいポ

イントです。

　当方の長い経験では、"スパチュラや半分に割った割り箸で攪拌し、上に持ち上げて付いた塗料が粒滴上にポタポタと2-3回／秒くらいで垂れ落ちる"くらいがボテボテにならず、かといって塗装面を流れ落ちない程度の程よい濃度です。

　この状態で乾燥しては薄く吹き付け、何度も繰り返してイメージした塗装面に近づけるようにします。吹き初めは必ず車体面以外のブース内で粗い塗料粒を吹き出した後、塗装面に向けてゆっくりと移動しながら均一に薄く吹き付けていきます。

　なお、よく車体を吹付する際に床面を下に、屋根面を上にして、垂直方向から吹き付ける例が多く見受けられます。吹き初めはこの状態で良いですが、吹付量が多いと車体側面の下面（床面側）に液が流れそこだけボテーっと溜まるようになることがあるので、車体窓面は並行に保持し、エアーブラシを斜め横から吹くと均一な塗布面を得られやすいです。塗装ではいろいろな前提条件が出てくるので、他のプラ板材を用いて十分に繰り返して試し塗りを行って状況に応じた準備が必要で、やり直ししないで済むように段取りしたいところです。

　エアーブラシでの塗装中はよく目詰まりを起こすので、吐出口はこまめに洗浄シンナーに浸した筆先や綿棒で、付着した半乾きの塗料を除くと糸を引くこともなく安定した吹付塗装に繋がります。

　万が一吹付面に垂らしてしまったり、糸屑が付いたり、何かに触れて塗装面が乱れてしまっても慌てて拭き取ったりしてはいけません。余計に目立つ塗装面になってしまいます。必ず乾燥してから面出しをし直して補修するのが良いでしょう。

　なお、"ウェザリング（シンガーフィニッシュ）"については修理作業ではあまり行わないのでプラモデル塗装別冊雑誌やネット記事などを参考にしてください。かなり個人の好みが反映するこの作業は本来の修復作業とは異なる別テクニックだと捉えています。

（6）乾燥

　先にも記しましたように特に冬場での吹付乾燥は十分気を付けねばなりません。折角の今までの努力が一瞬にして水泡に帰すことが多々あります。やり直しするには気力を失わせます。気温・湿度に気を使いながらまず、プライマーは自然乾燥、30分以上で埃が付かない場所にて保管して下地を整えましょう。

　塗装工程からは、できれば赤外線ヒーターやランプがあると良いのですが、なければ綺麗に掃除した（中から埃が出てこないように）ドライヤーを温風弱にして少し離して横に振って一様に乾燥させましょう。塗面の表面温度は、金属の場合は80℃以下の焼付温度で、プラスチック車体の場合は手を当ててちょっと熱いくらいの60℃以下ぐらいにし、手加減差は塗装物の大きさによって異なるので、他のサンプルで試してから本番に臨みます。

　インレタ・デカール・水性シールなどを貼る場合はトップコートの前に貼りますが、そのときはシールの材質にあったメーカー推奨のトップコート剤（水性か溶剤性）を吹き付けてください。このときは自然乾燥が良いでしょう。換気は十分にすることをお忘れなく。

11.7　塗装の実際

　実際の塗装例を見てみましょう。

　一番目の例は、もう、4、50年前のC62型蒸機製品の再塗装・動作回復依頼例です。

　かなり保存状態や組み込み状態が良くなく、一からの修復となります。

　この時期の製品は同じ量産品であっても、手作業で組立てられている部分が多く、初めからバラバラにしてしまうと復元するときにうまく組み込みができないことが多々あります。特に、足回りのロッド類周辺は左右で寸法が異なることもあります。

　まずは、分解時にこまめに写真を撮っておくこと、分解時に左右部品を別々に分けてグループ別にし、洗浄するなどこまめに分別しておくと再組立て時に迷うこともなくなります。それとできればロッド類は分解しないで済むような、全金属製だった場合はそのまま洗浄したほうが良いケースも多いです。

　ここでいくつかの例を挙げて今まで記してきた注意点の実際を見てみましょう。

　車体の材質によって使い分けることになりますが、ゲージによる大きな違いはありません。

図62
旧型HO C62の分解・剥離・塗装の実際例

現状;錆・剥離・無塗装有り

ポイント　分解時に写真を撮って復元時、再組立てできること

①現塗装の剥離・洗浄

ポイント　溶剤に溶けない部品のみに分解しておく

②除錆・洗浄

ポイント　除錆剤には漬けすぎない。後、しっかり洗浄と乾燥

③補修

ポイント 大型ハンダ鏝で他の部分を溶かさないように素早く

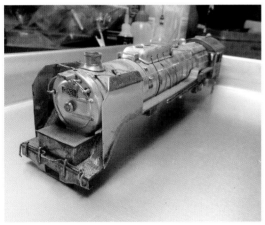

④脱脂・洗浄・乾燥

ポイント クレンザー等を使って歯ブラシなどでじっくりと

⑤プライマー塗装・乾燥

ポイント プライマーは薄く吹き、30分以上乾燥する

⑥本塗装・補修

ポイント 温湿度に注意。少しずつ、離して重ね塗りする

⑦銘板取付け、Hゴム塗装

ポイント 同質のマットクリア塗料で接着・窓はエナメル系

⑧トップコート

ポイント 半光沢トップコート剤を離して吹く

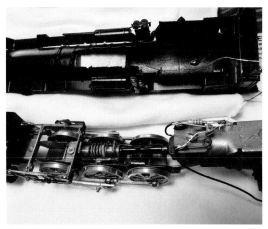

⑨ギヤ部の調整とパスコン

ポイント ギヤユニットとロッド回転の微調整。CR定数による逆
走時LED点滅ノイズの減衰

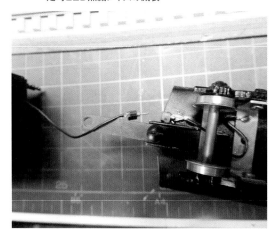

⑩テンダーからの集電

ポイント ジャンパー栓とコネクタを追加して集電を確実にする

⑪完成

ポイント 下回りの組立てを確実に行う

11.7.1　金属製車体の全面剥離と再塗装

　次に HO ゲージ系蒸気機関車 C57と旧型 EF58での例を紹介します。梱包スポンジが劣化してこびり付いた状態で多くの場合、片面全体と両端一部が腐食し、もう片面は初期の良い状態なので全部剥がすのも気が引ける気持ちになりますがやむを得ません。図62と同様な手順で全面の再塗装をすることになります。

　とても手間がかかりますが、1つ1つの工程を慌てずしっかりと間合いをもって作業します。繰り返しますが必ず晴れた乾燥した日に行ってください。そして安全メガネ、防塵マスクそしてポリエチレン材などの耐溶剤手袋を必ず取り付けて作業を行ってください。

　下回りの部品にはプラスチックを使っている部品もありますので、塗装剥離の際は必ず外してください。また、塗装後は必ず、うまく当初と同じように通電して走行できるか、走りが塗装の駆動部への回り込みなどで重くなっていないかなどの確認をしなくてはなりません。

図63
クッション入り箱へ保管時の塗装こびりつき・剥がれの全面再塗装2例

①C57のスポンジこびりつき

④洗浄後の仕上がり状態

②片側全面で腐食しているが内部駆動系は正常

⑤プライマー→吹付塗装→半光沢トップコートする

③そこで、全面剥離と除錆処理を行う

⑥再組立てして駆動系を調整し復帰した

旧型EF58のスポンジ腐食例

①片面全体に貼りついて腐食

④脱脂洗浄後乾燥して準備

②面も泡吹いて腐食

⑤プライマー→塗装→焼付乾燥→半光沢トップコート

③全面剥離後除錆洗浄

⑥再組立て、駆動系の調整をして復帰した

11.7.2 金属製車体の部分損傷部の再塗装

　ここでは、誤ってレイアウトから落下させて出入口ドア開閉部を変形、塗装剥がれを起こしてしまったHOゲージ系167系を部分再塗装する例で紹介します。

図64　HOゲージ系金属車体の落下損傷後の部分塗装例

①**現状:**内側に大きく変形剥離

`ポイント` 他の部分は無傷なので部分塗装とする

②窓部部品を取り外す

`ポイント` 周囲の透明窓プラやサッシは外す

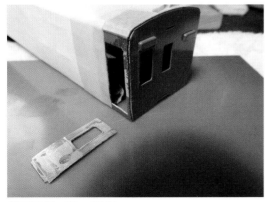

③扉部を外して磨いて面出し

`ポイント` 定盤上で磨き出しする

④扉・妻板部をハンダ付けし、余分なハンダを削ぐ

`ポイント` 素早くハンダ付けする

⑤マスキング外した状態で修復部周辺の色具合の確認

`ポイント` 従来塗装部と補修塗装部は少し浮かせてマスキングして境を作らないぼかし塗装

⑥Hゴム、サッシを烏口にて墨入れして仕上げる。最後に窓材を取り付ける

`ポイント` エナメル系やアクリル系など他の塗料系を用いる

11.7.3 プラスチック製車体の全面剥離・
　　　　塗装色変更塗装2例

　ここではキハ58の標準色から鳥取砂丘色へ変更した例を紹介します。更にテーピング方法についてはキハ40四国色のケースを交えて塗分け方法を紹介します。

　オリジナル塗装では、初期の製品では吹付・焼付塗装が多かったのですが、最近ではシリコンパッドに塗料を転写して、それを車体に"印刷する"方法が主流となっています。そのため曲面印刷も、細い線や、キャラクター印刷なども鮮やかに仕上げるようにできるようになってきました。実物のイベント列車などでは、塗装するのではなく印刷したフィルムを貼るラッピングカーが鮮やかな車体を生み出していることに呼応しているのでしょう。

図65
HOゲージ系プラスチック製車体全体の塗装変更例

①キハ58の付属部品、窓等を外す
ポイント 外した部品の位置を写真に撮っておく

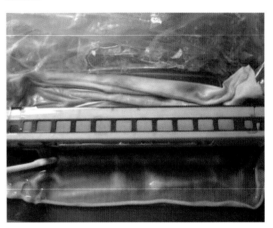

②高濃度イソピルアルコール液をバットに入れ布に浸して車体を20℃以上で数日から1週間漬ける
ポイント 温度が低いと剥がれにくい

③途中で歯ブラシのようなもので丹念に剥げ落とすように取り除く。段差部分も確実に取り除く
ポイント 溶けるのではなく剥がれるように取れる

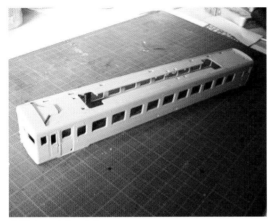

④剥がれた車体の全体

ポイント 段差を残さないこと

①キハ40四国色でのテーピング方法例で全体白塗装後

ポイント 扉や手摺り部は傷つけないように爪で抑え込むと効果的

⑤マスキングを、薄い色から吹き付けていく。この場合5色を順にマスキングする

ポイント アクリル塗料系での調色により紫・青緑・アイボリーを調合する

②白色部分のマスキング。下角部分の寸法をきちっと出す

ポイント 窓上の舗装部分のテープは両端を張りながら貼って直線をだす

⑥完成。光沢具合が異なるので最後にトップコートして一様にする

ポイント はみ出しや不足部分はその部分だけテーピングして細筆で修正する

③一旦剥がして確認する

ポイント テープを剥がす際には完全に乾く前の80％程度でゆっくりと外す

次にNゲージ プラスチック製EF58での全面剝離と塗装例です。

基本的にはHOゲージ系の場合と進め方は一緒です。アクリル塗料ではスプレー缶が市販されているので濃度調整など面倒さがなく、エアーブラシを使わずに行える手軽さがあります。

④前頭部のマスキング

ポイント 凹凸部分はしっかりと楊枝の先などで押さえる

⑤屋根など部分をケント紙とテープでマスキングする

ポイント 意外と回り込んでくるのでしっかり全体を覆う

⑥青22号を重ね塗りする。やはりはみ出しを補修して完成

ポイント 細かいところははみ出し部をナイフで削る

図66
Nゲージでの剥離と再塗装例

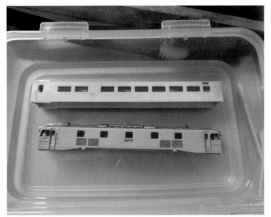

①高濃度イソプロピルアルコール（IPA）に数日浸漬して"剥がす"

ポイント "溶ける"のではないのでブラシなどを用いる

④アクリル塗料クリーム1号を吹付塗装する

ポイント 薄く均一に

②アクリル塗装青15号の吹付塗装をする。光沢が均一でない場合はトップコートを併用する

ポイント 面が粗い場合はサーフェーサー塗装後に、薄く、均一に！

⑤"ひげ"を薄手のアルミホイールで貼り付け作成する

ポイント 塗装でもよいが艶を得たいので金属箔が良い

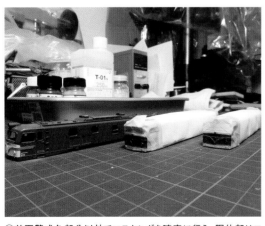

③前面警戒色部分以外でマスキングを確実に行う。胴体部はコピー用紙が扱いやすい

ポイント テープを、特に段差部では隙間を作らないようにしっかり押し付ける

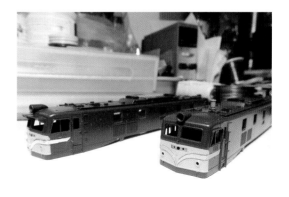

⑥塗分け部などではみ出しあれば細筆で修正する

ポイント 左右上下方向、裏面から見て塗り残しがないか確認

11.7.4　プラスチック製車体の部分損傷部の再部分塗装例

　T1社製 EF81北斗星仕様の電機です。両側の傷つけた部分をご自身で上手に修復したものの少し盛り上がりがあるので再度修復したいとの依頼です。

　単一塗装の場合でしたら全面剥離して再塗装するのが良いのですが、"北斗星"のデザイン入りなのでこれを残すべく部分塗装したケースです。段差無しで塗装するのは難しいです。

　もう1台は海外 R1社製客車側面に接着剤を垂らしてしまった塗装面の補修例です。これも調色が難しいですが取り組んだ例です。

図67
HOゲージ系のプラスチック製車体の部分塗装2例

①現状;矢印部に中間台車上部の車体に修復跡が見られる。色調は良い

ポイント どこまで補修するか?

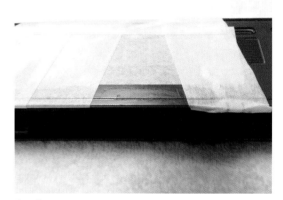

②まずは面出しをするためマスキングして保護します

ポイント 新たな段差を作らない

③盛り上がり部を、#600～#3000で順に研磨して面一にします

ポイント 少しずつ研磨して確認

④デザインマークを隠すようにマスキングする

ポイント 周囲を少し浮かしてマスキングし、ぼかし塗装する

①R社製客車側面の塗装損傷部

ポイント 該当部を#600⇒#1200で研磨し面を整える

⑤経時変化で変色しているので赤2号をベースに調色する

ポイント プラ板に何度も試し塗りして色合わせする

②損傷部周辺のマスキング

ポイント 少し広めに覆い、その周囲は薄く吹き付ける

⑥薄く吹き付けで重ね塗りする。マスキング部段差注意

ポイント 艶具合が異なる場合は、ポリッシュ又は全面トップコートを行う

③8色を用い、テストピースを作って何度も調色する

ポイント 艶加減で色調も異なって見えるので数種類作る

次に N ゲージ681系におけるプラスチック製車体の部分損傷部の再塗装例です。

車体も損傷しているのでまず、欠けて穴の開いた屋根肩部をパテで埋めて面一にすることから始めます。

④薄くエアーブラシ吹付塗装をする
ポイント 盛り上がらないように繰り返し吹き付ける

⑤見る角度によっては少し異なる塗装面に見える
ポイント トップコートやポリッシュをして艶を揃える

図68
Nゲージ プラスチック製車体の部分損傷部の再塗装例

①屋根の肩部がぶつかって欠損している

ポイント 補修方法の選択・決定

②"割れ欠け"に近いのでパテ埋めするのが妥当

ポイント 穴埋め材の決定

③マスキングし、アクリルパテを中心に穴埋めする

ポイント 少し盛り上げて塗布

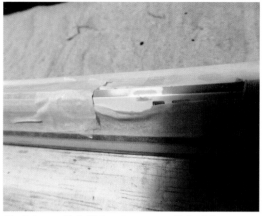

④アクリルパテ塗布・研磨⇒サーフェーサー塗布・研磨⇒#1200
耐水ペーパーを主に面出しする

ポイント 既塗装面と"艶加減"を合わせるため#600〜
#3000水性コンパウンド磨き出しする

⑤灰色9号+青+ライトグレー+白を主体に調色した

ポイント 実際にプラ板などに塗布して実塗装面と比較して決め
る。ここでは青色を含める

⑥薄く溶き、通常より離し気味にして吹付塗装する

ポイント マスキング部と段差にならないよう、途中で少し剥が
し気味にして"ぼかし塗装"する

第12章 通常運転前後のメンテナンス

運転走行を長く楽しむためには、それ相応の手入れ・メンテナンスが後のトラブルや不具合を避けるために必須です。なにせ模型は精密部品で作られています。そして模型を走らせるレールや通電する電源にも気を使いたいところです。

少し走行する、そして楽しんだ後の手入れの手順を整理してみましょう。

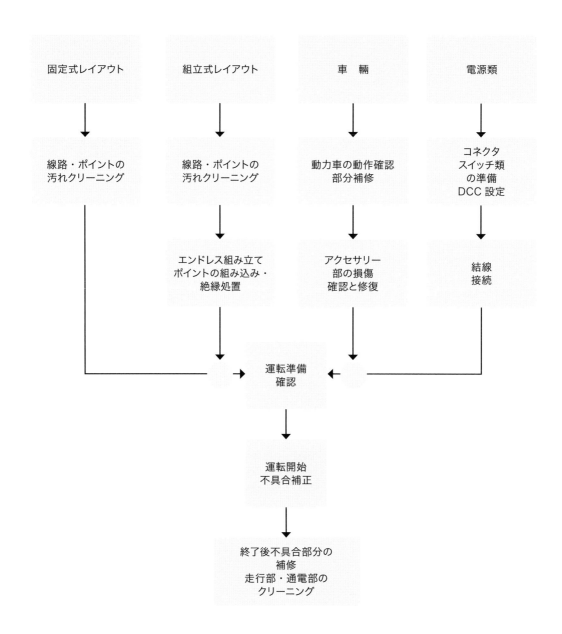

図69　運転前後のメンテナンス手順

長い経験を持っているモデラーでは古くは科学技術月刊誌の『科学と模型』、『模型と工作』専門誌ではバイブル的存在でもある『鉄道模型趣味（TMS）』、『Nゲージマガジン』そして近年では『RM　MODELS』があり多くの知見を得て楽しんできました。当方もTMSを1960年代から購入、保有して今も図面などを読み返すことが多いです。

　実物誌ではご承知の通り『鉄道ファン』『鉄道ジャーナル』『鉄道ピクトリアル』が依然として健在であり、実車の動向や構造、図面情報を得るには欠かせない雑誌です。

　その中で修理に当たって得られる情報の多くは『鉄道模型趣味（機芸出版社）』誌の"工作欄"、"ヒント"、"ミキスト"、"自作記事"の欄記述がとても参考になります。1967～2000年度までの一部例を抜粋して紹介します。記事の詳細、バックナンバーは直接機芸出版社にお問い合わせください。

表4　「鉄道模型趣味」(機芸出版社)より参考となる記事の抜粋

年月/ページ	タイトル	修理に参考となる情報
1963.8/P44	モーター	モーター展示室
1964.3/P183	シェイギヤード	シェイギヤードロコ（クライマックス・シェイ・ハスラー）型の紹介
1965.6/P384	リベット	リベット打ち出し器の作成
1965.9/P599	車両整備	車輌の整備と線路の保持、台車枠からの通電方法
1966.2/p99	リベット	蝶番を利用したリベット打ち出し器の作成
1966.4/P265	電源	トランジスタコントローラーの作成
1966.5/P309	連結器	中間連結器間の適正寸法
1966.6/P408	絶縁ギャップ	レイアウト内の適正ギャップ2（1964.4/P478に(1)あり）
1966.8/P512	蒸機塗装	蒸機の塗装と仕上げ
1967.1/P72	動輪修復	エポキシ樹脂で動輪を固定する方法
1968.4/P234	ギヤ比	ギヤ比の構成方法と意味について
1970.3/P186	動輪抜き	ギヤ交換するために必要な圧入された動輪の抜き治具作成
1970.6/P427	糸鋸刃	ヘルクレス製000番（#3番）などの紹介
1970.11/P769	勾配	勾配時の索引力の計算方法
1973.8/P45～	蒸機	蒸機設計のテクニック（シリーズ掲載）
1974.1/P54	キハ塗装	キハ58の塗装
1974.6/P56	蒸機塗装	D51の塗装
1974.8/P75	成型剤	成型剤"デブコン"（AI+エポキシ樹脂）紹介
1974.9/P44	速度	1/80車輌の速度換算方法（例100Km/H⇒34.7㎝/s）

年月/ページ	タイトル	修理に参考となる情報
1974.12/P23	塗装	ペーパー車体のカラ研ぎ方法
1975.2/P38	パイピング	蒸機のパイピング方法
1975.6/P87	工具	ギヤプーラー（NWSL製）の紹介
1976.8/P92	モーター	モーター整流子間に絶縁物を埋め、ノイズ、騒音対策とする
1977.4/P47	牽引力	引張力の計算方法
1977.5/P93	連結器	PCB基板を利用した2回路分テンダー通電ドローバー
1978.5/P111	ギヤ取り付け	モーター軸へのウオームギヤのアルコールランプを用いた取り付け方法
1978.9/P100	塗装	塗装回転台にケーキ作り用回転台を用いる
1978.10/P106	曲げ方法	1/150のエッチング板側板と屋根との曲げに10mm角棒を、両端を3mmネジで締めた後、万力に挟んで曲げる
1979.2/P102	ランナー	プラスチックランナーを引き伸ばして使うときにろうそくを用いて少しずつ溶かす
1979.4/P108	客車動力車化	長編成を楽しむときには客車の一部にパワートラックなどの動力台車ユニットを組み込んで走行させる
/P108	塗装	ステンレスカーでは銀粉をコンパウンドに混ぜて磨くと実物感が増す
1979.5/P40	工具	「鉄道模型工作技法」より工具の紹介
/P108	塗装	マスキングゾルを用いて「飾り帯」を形成する
1979.6/P78	レイアウト	モジュールレイアウトを作成する場合の寸法決定方法
/P108	塗料皿	鉄製塗料皿の上蓋に磁石を取り付けて換装を防ぐ
1979.11/P61	キット改造	HO系Cタンクを11種類のタンクに改造してキットを楽しむ
/P108	カット方法	透明プラ板にメンディングテープを貼って鉛筆でケガキ線を書いてカットすると綺麗に仕上がる
1980.1/P85	金属材料	「鉄道模型工作技法」より金属材料、ダイキャストの紹介
/P130	ネジ止め	小さなネジをドライバーに嵌めるときに周りに少しテープを回すと落ちずに取り付けやすい
1980.2/P61	樹脂材料	「鉄道模型工作技法」よりプラスチック材料の紹介
1980.3/P110	定電圧灯	走行しないで点灯するダイオード組合せユニットの紹介
1980.4/P77	金属切断	「鉄道模型工作技法」より金属工作・切断1で糸鋸刃は#002/003/004を揃えると良い
/P108	塗分け塗装	帯やラインのマスキングの前に薄く下地塗料を吹くと上地塗料はみ出しが抑制される
1980.5/P67	金属切断	「鉄道模型工作技法」より金属工作・切断2
1980.6/P68	穴あけ加工	「鉄道模型工作技法」より金属工作・孔あけ加工
1980.8/P53	台車複製	パラフィンで型を作り、そこにレジンキャスティングして台車を複製する技法の紹介
1980.10/P90	金属切削	「鉄道模型工作技法」より金属工作で切断とヤスリ切削
1980.11/P93	金属加工	「鉄道模型工作技法」より金属工作でヤスリによる加工
1981.1/P126	滑り止め	マスキングゾルを薄く、非導通車輪に塗る
/P87	ミキスト項	「道具は手の延長である」という名言

年月/ページ	タイトル	修理に参考となる情報
1981.5/P116	折り曲げ技法	「鉄道模型工作技法」より折り曲げ加工、スプリング加工
/P132	Hゴム	版画用ゴム板を用いて凸部の窓枠に塗料を転写する
1981.6/P99	ハンダ付け	「鉄道模型工作技法」よりハンダ付け技法の紹介(1)
1981.7/P73	ミキスト項	ソニーマイクロトレイン社が1-B-1構造でN-ED75を発表
/P99	ハンダ付け	「鉄道模型工作技法」よりハンダ付け技法での小道具とその実際を紹介(1)
/P116	手摺り作成	テーパー付きチャンネル材に切込みを複数入れ、そこに線材を挿し込んで折り曲げる（コンデンサや抵抗のリード線折り曲げ治具の応用）
1981.9/P96	ハンダ付け	「鉄道模型工作技法」よりハンダ付けの実際
1981.10/P87	塗装	「鉄道模型工作技法」より塗装方法(1)
1981.11/P87	塗装	「鉄道模型工作技法」より塗装方法(2)
1982.1/P88	塗装	「鉄道模型工作技法」より塗装方法(4)
1982.2/P92	塗装	「鉄道模型工作技法」より塗装方法(5)マスキングで生じた塗装段差は乾燥後、ナイフを寝かせて削ぐ
/P116	真鍮の黒ずみ	酸化被膜の黒ずみはウースターソースやしょうゆに漬けると数分から数時間で取れる
1982.6/P47	複製	シリコン型を作り、アクリルレジンでパーツ作成技法
1982.8/P78	ゲージ定義	ゲージの歴史的背景と定義の解説 "重要"
1982.9/P109	塗装準備	塗料皿にアルミ箔を敷いておく。片付けが大変楽！
1983.3/P80	パンタグラフ	旧型HO系パンタグラフの作り方
1983.3/P108	ロッド構成	"バルブギヤー"の構成範囲について
1983.4/P68	ミキスト	記事「振り向けば夫は模型に没頭」
1983.5/P63	ヒント	糸鋸を併用したドリルレース方法の紹介
1983.6/P100	QA	レイアウトの駅付近での絶縁ギャップ設置方法
1983.8/P104	QA	ホワイトメタル成形品の修正方法（ヤスリ・カッターナイフ）
1983.9/P79	ミキスト	「パワートラック」の世界的由来について
1983.10/P21	黒染め	車輪等の黒染め方法でFX-1塗料や黒染め液の利用
1983.10/P67	ミキスト	"ゲージ"の歴史について
1983.10/P34	蒸機	2-6-6-6蒸機での"ベーカー式弁装置"の紹介
1983.10/P59	作成記事	HO系DD13を改造して小型DLを作る
1983.10/P67	作成記事	HO系EC40アプト式の作り方
1984.10/P83	作成記事	歯車の知識、種類と役割について
1984.12/P65	アイデア記事	ウオームギヤを自動的にフリーにするオートクラッチ
1985.3/P88	記事	「金属工作のための工具買い物ガイド」
1985.4/P63	ミキスト	米国での工具13種の紹介
1988.1/P50	ミキスト	車輪のバックゲージについて
1988.1/P103	QA	レタリングの方式について（インレタ、デカール、ステッカー、スラウドマーク）

年月/ページ	タイトル	修理に参考となる情報
1988.2/P32	改造記事	HO系キハ65の「ゆうとぴあ和倉」改修例
1988.2/P62	本文	東急7600系ステレンス車体を7μm/20μm
1988.3/P74	本文	「日本鉄道模型小史(1)」
1988.4/P64	本文	「日本鉄道模型小史(2)」以降連載
1988.4/P73	ミキスト	モーターなどの模型史(朝日屋、カワイなど)
1988.11/P62	本文	「密連とドローバーを連結させる」ドローバーを改造
1988.12/P44	本文	「プラ用塗料を使い分ける」
1989.1/P30	本文	HO系ウオームギヤ 30:1のオートクラッチ
1989.2/P65	本文	「模型用工作機械あれこれ」切断機、折り曲げ機など
1989.4/P62	本文	「曲線先頭部を、0.5mmプラシートを暖めて成形する」
1989.10/P99	QA	6個のダイオードを用いた、1.5V球停車時点灯の回路
1990.1/P85	本文	トランジスタマルチコントローラーの作成1
1990.2/P58	本文	トランジスタマルチコントローラーの作成2
1993.7/P28	作成記事	小物のハンダ付けの際、回り込まないよう断熱遮断できる彫金用の断熱クリーム
1993.10/P28	作成記事	七尾線415-800系(旧113系改造)の初期塗装品
1993.11/P31	技法	「How to エッチング」方法の紹介
1994.1/P80	作成記事	Bタンクのクランク動輪、クランクピンの作り方
1994.1/P83	講座	「模型のための塗料・塗装講座」塗料の種類
1994.2/P84	講座	「模型のための塗料・塗装講座」塗料の基礎
1994.5/P78	講座	「模型のための塗料・塗装講座」着色顔料など
1994.5/P108	作成記事	1.5Vミニ電球を78L05三端子レギュレータ+10D1 diode回路で点灯
1995.1/P21	作成記事	実物機の小型フリーランス改造例(D蒸機をB蒸機など)
1995.1/P48	講座	「模型のための塗料・塗装講座」顔料の種類など
1995.4/P93	講座	「模型のための塗料・塗装講座」塗分け・マスキング
1995.6/P92	講座	「模型のための塗料・塗装講座」剥離方法
1995.9/P60	講座	「模型のための塗料・塗装講座」色合わせ・マンセル記号
1995.12/P85	講座	「模型のための塗料・塗装講座」調色方法
1996.1/P73	ターンテーブル	「ゲージの変遷」
1997.1/P74	ターンテーブル	ポイントの番数(クロッシング角度)の変遷説明

表5 「鉄道模型趣味」誌に掲載された、修理に参考となる車輌図面一覧

年月/ページ	対象車輌	縮尺など	年月/ページ	対象車輌	縮尺など
1964.3	8150、7950	モーガル蒸機	1964.5	モハ1720	けごん
1965.4	キハ35		1967.1	キハ8000	名鉄
1967.1	ED72		1968.1	8550蒸機	
1970.2	デハ3100	小田急電鉄	1970.3	ED75	
1970.4	D51	1/60	1970.4	デキ200	秩父鉄道
1970.4	ED5060	南海電鉄	1970.4	2001電機	神戸鉄道
1970.5	キハ58、キロ28		1970.6	C12	1/60
1970.8	P540BB電機	南海電鉄	1970.11	EF80	
1970.12	DD54		1971.5	2800系	阪急電鉄
1971.6	DD13		1971.7	D52	1/27 1番G
1973.3	オハ35	1/80	1973.5	ED54	
1973.6	EF66				
1974.3	8700		1974.4	キハ391	
1974.6	D51	蒸機の塗装	1974.7	C55流線形	
1974.8	E851	西武鉄道	1974.9	C57	
1974.10、11	581-583系		1974.11	5000系	京成電鉄
1974.11	キハ42202	関東鉄道	1975.1	クモハ474/475	
1975.1	2-6-4蒸機	南満鉄ダブニ	1975.2	D51パイピング	
1975.3	ED102電機	小田急電鉄	1975.4	381系	
1975.5	モ200	近鉄	1975.5	クハ5050	小田急電鉄
1975.5	F60形蒸機	単式マレー	1975.9	モハ22001	南海電鉄
1976.1	阿里山蒸機	シェイギヤードロコ	1978.3	ボールドウィンタンク	北海道炭鉱鉄道形式5
1978.3	EF13	1/80	1978.9	EF57	1/50、1/80、1/150
1978.9	ハイスラー蒸機		1978.10	モハ30	1/150
1978.11	モ6200	名鉄	1979.2	2-8-0テンダー蒸機	ボールドウィン
1979.9	920系	阪急電鉄	1979.12	DD11	1/80
1980.1	9050蒸機	1/80	1980.3	モハ31	1/150
1980.10	キハ82	1/150	1980.11	コッペルCタンク	頸城鉄道、1/46
1980.11	5060形	国鉄、1/80	1980.11	3700形	国鉄、1/80
1981.1	6000形	都電、1/30	1981.5	1850形	国鉄
1981.6	モ600	1/80	1982.2	キハ05	1/80
1982.2	1150形	国鉄、1/150	1982.7	コッペルCタンク	1/80
1982.7	京王電鉄デト210	1/80	1982.7	南海ED5122	1/150

年月/ページ	対象車輌	縮尺など	年月/ページ	対象車輌	縮尺など
1982.10	関東鉄道DD45	1/80	1982.11	ED75	1/150元図縮小
1983.4	小田急2300形 ロマンスカー	1/80	1983.5	京阪6000形 全車輌	1/80
1983.10	山陽電鉄 5900/6120形	1/80	1984.1	クモハ12 鶴見線	1/150
1984.2	キハ40	1/100	1984.2	三井鉱山No.2 Bタンク	1/80
1984.3	貨車ト1, ワフ9000	1/80	1984.5	Alco9400形蒸機	1/80
1984.7	DE10	1/50, 1/80	1984.7	マレー型B-B4500 蒸機	
1984.9	クモハユニ64	1/80	1984.10	ハドソンC64 自由形	1/80
1984.10	ED28凸電機	1/80	1985.7/ P31	185系	1/50
1985.8/P70	185系	1/80	1989.2/ P38	小田急モハ1	1/80
1989.9/P74	秋田中央交通 デワ3000	16.5mmゲージ	1989.12/ P59	クモハ40、73、 クハ55	1/80、1/150
1993.1	ボールドウィン 4-6-0	1/80	1993.1	山陽電鉄オユニ、 オイロ、ホハフ	軽量客車
1993.2	ダージリン鉄道 サドルタンク	1/48、1/80	1993.3	クモル145 クル144	1993.3
1993.4	D3513入替機 BBロッド	1/45、1/80	1993.9	名鉄デキ300、 400、800	1/80
1994.1	DC103協三工業	1/45	1994.1	キハ2401、2402	1/80
1994.10	静岡鉄道キハ D6〜8	1/64	1994.11	静岡鉄道キハ D13	1/64
1994.12	静岡鉄道キハ D14、15	1/64	以降調査中		

第14章 用語の解説

表6　用語集

一般用語	解説	分野
①ゲージ（軌間）	左右レールの頭部内側間の最短距離をいい、Zゲージでは6mm、Nゲージでは9mm、00、HOゲージ系では16.5㎜、Oゲージ系では32mm、1番・Gゲージ系では45㎜を表す	縮尺
②レールの極性	レールを上部から見て右側が(+)又は(S)極、左側が(-)又は(N)極のとき、前進するように配線する	給電方法
③ウェザリング	車輌の外観、塗色を実物のように汚れた状態に擬態する加工方法をいう。多くは塗装をエアースプレーで重ね塗りや刷り込んで表現する	塗装方法
④エンプラ	「エンジニアリングプラスチック」の略称で耐久性、耐油性、対候性などに優れた工業用の樹脂。熱硬化性と熱溶融性がある。模型ではギヤなどに用いられる	樹脂
⑤マンセル記号	色相と明度・彩度をHV/Cの形式にて数値で表す。例えばブルートレインの青色は「青15号；2.5PB2.5/4.8」と記載される。CMYK、RGBとともに用いられる	塗装色
⑥リード線の太さ AWG	AWG（American Wire Gage）は、USAの導体の寸法規格であり、丸い電線の断面積と直径を定めた規格。数字が大きくなれば導体サイズは小さくなり、例えば模型ではAWG32は導体径0.2mm、許容電流0.5Aが有用	リード線
⑦三線式	ドイツ・メルクリン社製の交流式電源を用いたレールシステムで、線路真ん中にある電極と両レール間から給電する。ショートし難く、レイアウト作成も容易	給電方法
⑧ダイキャスト	ダイカストともいう。車輪や駆動部を収納する、電極導体、ウエイトが兼用できる、左右半分に鋳型成型して用いられる。材質は、亜鉛、アルミニウム、マグネシウムなどの非鉄金属とその合金	金型成形
⑨PCM	デコーダ回路で使用されるパルス符号変調 (pulse code modulation)のことでモーター、照明、音声、など各種信号の振り分けに用いられる	周波数変換

車輌構成用語	解説	車種
①ワルシャート式弁装置	リターンクランクの回転運動とクロスヘッドの往復運動を組み合わせ、ピストン弁を動かす装置で、全てが外側に出ているので保守点検が容易で最も普及した方式	蒸気機関車
②位相差	蒸機の動輪にあるクランクピンの位置が左右で90度ずらすこと。一般的には右側動輪のクランクが90度先にして結合される	〃
③フレーム・シャーシ	蒸機などで車輪・駆動部全体を支える枠組みのことをいい、ここの寸法精度がスムーズな走行を左右する	〃
④テンダードライブ	蒸機では多くの場合本体のボイラー部にモーターとギヤ部を構成して走行するが、テンダー部に搭載して本体はユニバーサルジョイントで結んで走行させる方法	〃
⑤2シリンダー蒸機	4-8-8-4などの軸配置を有する大型蒸機のことでUSA型のビッグボーイ、チャレンジャーが代表。強い索引力を持つ一方、回転半径は大きいことが必要	〃

車輛構成用語	解説	車種
⑥ シェイギヤードロコ	複式ピストンの回転をベベルギヤにて動輪に伝動する方式の機関車で、ハスラー式、シェイ式、クライマックス式などがある。今でも人気がある	蒸気機関車
⑦Hゴム	各種車輛のガラス窓を、断面がH型の成形されたゴム材で固定する方法。黒か灰色が多く作る際には車体とは別途材質を用いて細く塗らねばならない	全車

部品用語	解説	機能分野
①ユニバーサルジョイント	自在継手のことで回転する2つの軸を繋ぐ角度が自由に変化する継手のことをいう。モーター軸とウオームギヤ軸を繋ぐときに多く用いる。ほとんど専用部品となる	回転機構
②集電シュー/バネ	動輪のうち、左側(-)極の車輪から通電するために、バネ性のあるリン青銅材で車輪内側、又は踏面上部に接触させて導電する板材又は線材。手入れの重要部品	集電方法
③ウオームギヤ・ホイール	モーター回転軸にらせん状のギヤを取り付け、車輪軸上に平ギヤを取り付けて嚙合わせることで直角に動力伝達する。ギヤ比により13:1〜20:1がよく用いられる	駆動機構
④トラクションモーター	パワートラックともいう。HO系において台車内にモーター・ギヤ駆動・集電装置が一体化したコンパクトな動力ユニット。単独で用いることができる	〃
⑤絶縁ブッシュ	金属台車と金属床板間に凸部の穴の開いた絶縁物を介してネジ締めするのに用いる。また蒸機-テンダー間のドローバーにも用いられる	絶縁部材
⑥カプラー	連結器のこと。実車では車輛連結だけでなく電気系統、圧力系統も同時に接続する連結器が普及している。模型ではN/HO系で各種存在するのでメーカーごとに確認しながら購入する	連結器種
⑦スポーク車輪	車輪が自転車のようにスポーク状に形成されている車輪のこと。蒸機の動輪は勿論、先輪、従輪に多い	車輪
⑧カウンターウエイト	蒸機の動輪クランクピンと反対位置にある三日月状のウエイトで、往復運動を回転運動に変換する際、慣性力で円滑に回転させる働きをする	〃
⑨ピボット・プレーン車輪	車軸の先端が尖っているのがピボット軸で主に回転を滑らかにするためなので客車・箇所のトレーラーに用いられる。プレーン軸は先端が平たく、通電、重量支持を目的とするので動力車に用いられる。台車側の軸受けを交換できる品種もある	〃
⑩熱収縮チューブ	内部配線で細いリード線同士を撚ってハンダ付けした後、この部分を被せて	配線部材
⑪ライトガイド	導光管。電球やLEDから発せられた光をヘッドライト部、テールライト部や室内灯に誘導する透明アクリルの成型体または塩ビ製円柱線	光学部材
⑫デコーダ	アナログ回路からDCC化への変換回路。標準は8ピン端子で統一化されているが派生品も多い。またこれとは別にサウンドデコーダや無線デコーダも流通している	IC回路
⑬整流器	古くは金属片にセレンを塗布して半導体化した3端子の整流器が多かったが今はほとんどがダイオードを用いている。室内灯には前後走行にも点灯する全波整流器が必要となる	回路部材
⑭ダイオード	片方向に電気の流れを制御するシリコン形電子部品で鉄道模型では1S1855や1S2076、1N4148などの汎用型で良い	〃
⑮定電流ダイオード(CRD)	一方向に一定の電流を流すことができる半導体で、電流値は使うLEDのVf値に合わせる。通常Ifは5.6〜15mAのリード線タイプ、チップタイプを用いる	〃

ここでは、自ら楽しんできた経験を、依頼内容を整理して系統的にまとめモデラーの方々の修理やディティールアップに役立てばと思いまとめてみました。

従って、個人の思い込みや作り込みの癖、経験則が多く入り込んでいるので必ずしもベストな修理修復方法とは言えないでしょうし、またツールや加工方法の進展で時代遅れになっている部分もあるとは思います。「これはこうした方がよい、こういう方法もある、この材料を使ったら？など多方面のアドバイスや意見をメールにて連絡いただけると幸いです。次作に反映していきたいですね。

今後の新技術も多く登場しています。例えば3D成型技術（3Dプリンター）を用いたパーツの作成です。プラスチック製品が多くなり精巧になる一方、扱い方によっては破損しやすくなっていることも生じています。

主要補修部品はメーカーなどで準備されているものの走行部分の機構部品やアクセサリー部品は分売されていないことが多いです。海外製はもっと入手しにくいです。

その際、この3Dプリンターで補修部品を作ることができるようになります。勿論車体も作成可能になっていますのでオリジナル車輌を比較的容易に作ることができるようになるでしょう。これからはプラスチックだけでなく焼結金属でも作ることができるようになるでしょう。

また、塗装、特に前面や側面の複雑なデザイン塗装には応用しやすいと考えています。そうすると塗装デザインまでオリジナルな車輌を楽しめることができるようになり、新た

な展開ができるでしょう。

レイアウト部品やシーナリーなどは尚更作ることができるようになり期待される新技術だと思います。

修理していて一番感じるのは通電方式です。パワーパックからレールに通電して、車輌側では車輪から台車に備えられている集電シューなどの集電帯部を通じ、床板にある集電板を通してモーターの電極端子に接触して駆動する、あるいは点灯する、というのが基本的には当初から変わらず、主流となっています。

従って電気通電を橋渡しする通電接触部が3〜5か所くらいできるので、そこでの接触不良が走行不良や点灯不良を引き起こします。意外と埃や油汚れなどを巻き込むため汚れて絶縁膜ができたり、電気抵抗が増えたりして"ギクシャク走行"や"チラツキ点灯"を引き起こすことも多いです。そのためこまめなメンテナンスが必要となり、怠ると私たちがお手伝いする故障レベルに陥ることになります。

当初の鉄道模型では車輪など回転部を除きリード線をハンダ付けで通電することが多かったので結構安心感があったのですが、一方メーカーからすれば配線の手間や床下の動力部と車体本体を線で繋ぐのは見た目も組立てもしづらい、更には車内の椅子などアクセサリーを備えづらい、ということがありました。そのため、今ではバネ性も備えたリン青銅材を使って接触通電して組立てられていますが、もっとメンテナンスフリーに繋がる手法がないものかと案じています。

見映えは劣りますが、GゲージのLGBは

子供たちが庭園で遊べるように屋外仕様で製作されています。その集電方式は車輪間に専用の、レールを直接摺動する集電シューを設けていますし、内部通電経路はほとんどがハンダ付けと樹脂コーティングで行われています。当方保有のLGBはもう40年近く保有して次々世代も楽しめていますが一度も故障したことがありません。

例えば、今の接触接続部にはスポット溶接を多用するとか、異なる技術ではDCDCコンバーターで用いられる、比較的接触状態に強い、一旦交流に変換して交流し、再びモーターの前で直流に戻して直流モーターを回転するという、省電力の小型ユニット、または小型の非接触電力伝送ユニットと高電流密度電池を搭載してレール上を無線で自由に走行できる編成車輌などまだまだ低コストで新方式が考えられると思います。

今この模型業界に携わっている方々ばかりでなく多くの人のアイデアが出てきて提案され、反映されると良いですね。

世界的にはDCC車輌も増えてきました。日本ではマニアの方々の走行は固定式レイアウトが家のスペースの都合でさほど普及しておらず、まだ都度組立式の、床にレールを敷いて楽しんでおられる方が多いのが要因の一つでしょうか、DCCはまだ普及していないようで修理依頼件数も少なく、作業しながら感じています。

どのメーカーもNMRA規格に基づいたデコーダやコントローラー、そしてそれも無線式やスマートフォンを用いたWi-Fi方式が用意されていますが、実際の利用となると英語やドイツ語のマニュアルが多く、また、メーカーによってもコントローラーの方式がいろいろあって"共通化している"という感じがしないのも大きな壁となっているのではないでしょうか？

もっと手軽に使えるようにメーカー間で協力して日本向けの標準化が進めば更に若手からの関心が高まると思います。

2022年10月には、新橋・横浜の鉄道開通から150周年が迎えられました。

その影響で「○○鉄」やモデラーばかりでなく、昔楽しんだ車輌を引っ張り出して再デビューする方々が増えました。修理依頼でも定年前後で再開され車輌のメンテナンスされる方が増えている現実があります。

再開される場合は何十年も保管されていたこともあり、すぐに走行を復活できる、というわけにはいきません。

そこでこのハンドブックを活用いただき、不明な点はメールにて連絡いただければお手伝いに加わり、若いころ携わった車輌が動くようになって、そのころの思い出がよみがえることと確信します。

そしてご家族で末永く楽しんでいただきたい。過去には「オタク系の趣味」と蔑まされることも見受けられましたが、今や女子鉄の方々も大道を渡り歩ける時代となりましたのでもっと広めていけることを節に望んでいます。

（参考文献）

【雑誌】

1. 月刊『鉄道模型趣味』機芸出版社（1966年〜、別刊含）

2. 月刊『Nゲージマガジン』機芸出版社（1986〜1991、別刊含）

3 『鉄道模型趣味増刊　国鉄色ハンドブック』機芸出版社（2021）

4. 月刊『RM MODELS』ネコ・パブリッシング（2005〜）

5.『新ディテール・ファイル』ネコ・パブリッシング（2005）

6.『鉄道模型 ハンダ付け入門』ネコ・パブリッシング（2018）

7. 月刊『模型と工作』技術出版（1974増刊号）

8.『鉄道ピクトリアル』電気車研究会（1951年創刊）

9. 鉄道車輌専門誌『鉄道ファン』交友社（1961年創刊）

10.『鉄道ジャーナル』鉄道ジャーナル社（1967年創刊）

11. 海外誌『MODEL RAIL』(英国)『Rail Express』（英国）『MIBA』（独）他

【書籍、図鑑】

1.『電気鉄道』松本雅行著、森北出版（2007）

2.『蒸気機関車メカニズム図鑑』細川武志著、グランプリ出版（2011）

【各社カタログ、HP、車輌付属説明書、その他】

『MPギアの使い方　マニュアル＆カタログ』エンドウ（2005）

『塗料総合カタログ』GSIクレオス（2018〜2019）

関水金属、TOMIX、エンドウ、天賞堂、アダチ製作所、カツミ、

グリーンマックス、マイクロエース、ろくはん、メルクリン、

ROCO、HORNBY、TRIX、LILIPUT、FLEISHMANN、

LEHMANN、BACHMANN、ATHEARN、BROADWAY、その他

（筆者紹介）

伊藤聡（いとう・さとる）

　東京都大田区出身。1975年電気通信大学卒業後、京都の総合電子部品メーカーに就職し、主に圧電セラミック電子部品、セラミックを応用したセンサーの開発職を担当し、2016年定年退職。現在石川県羽咋市在住。

　鉄道模型歴は、HO ゲージ系 /N ゲージ/1番ゲージライブスチーム歴50年超。中学生以降にはよく、当時の実家の近くにあった神奈川県新鶴見操車場にて蒸機・電機混交時代を毎日のように自転車で通って見学していた。

　模型は、小学生のころ従兄から貰った鉄道模型社かカワイモデル製の ED14に魅せられて始めたものの、大変高価で購入は難しくケント紙やブリキで車体を作り、下回りは使いまわして楽しんでいた。

　就職後は、たまたま出張で、欧州本社があったドイツ南部のニュールンベルク（欧州鉄道発祥の地）にて模型購入をはじめ、そして修理活動は定年前後から始めた。

　HP で公開したところ動作不良、塗装剥がれ補修などの依頼が多くあるのを知り少しずつ活動を開始した。

　この分野に関係する資格としては㈶家電製品協会「家電製品総合エンジニア（旧通産省電子機器修理技術者）」の資格を更新継続し修理活動に応用。

　なお、本文中の“ほっとするイラスト”は、愛知県一宮市在住のYOKO さんにお願いした。

鉄道模型修理ハンドブック

2024年1月29日　第1刷発行
2024年10月25日　第2刷発行

著　者　　　伊藤聡
発行人　　　久保田貴幸

発行元　　　株式会社 幻冬舎メディアコンサルティング
　　　　　　〒151-0051　東京都渋谷区千駄ヶ谷4-9-7
　　　　　　電話　03-5411-6440（編集）

発売元　　　株式会社 幻冬舎
　　　　　　〒151-0051　東京都渋谷区千駄ヶ谷4-9-7
　　　　　　電話　03-5411-6222（営業）

印刷・製本　瞬報社写真印刷株式会社
装　丁　　　村上次郎
本文イラスト　YOKO

検印廃止
©SATORU ITO,GENTOSHA MEDIA CONSULTING 2024
Printed in Japan
ISBN 978-4-344-94671-2　C0054
幻冬舎メディアコンサルティングHP
https://www.gentosha-mc.com/